Nuevos cuentos para
antes de ir a dormir

Prácticos
Familia

Dr. Eduard Estivill
Montse Domènech

Nuevos cuentos para antes de ir a dormir

Historias para aprender y soñar

Cuentos creados con la colaboración
de Francesc Miralles
Ilustraciones de Emma Schmid

 Planeta

© Dr. Eduard Estivill y Montse Domènech, 2005
    Con la colaboración de Francesc Miralles
© por las ilustraciones, Emma Schmid, 2005
© Editorial Planeta, S. A., 2008
    Avinguda Diagonal, 662, 6.ª planta. 08034 Barcelona (España)

Diseño de la colección: Hans Geel
Diseño del interior: Judith Rovira
Primera edición en Colección Booket: abril de 2008

Depósito legal: M. 7.680-2008
ISBN: 978-84-08-07871-5
Composición: Pacmer, S. A.
Impresión y encuadernación: Unigraf, S. L.
Printed in Spain - Impreso en España

Eduard Estivill es licenciado en Medicina y Cirugía por la Universidad de Barcelona, con la especialidad de Neurofisiología Clínica y Pediatría. Desde marzo de 1989 dirige la Clínica del Sueño Estivill, que pertenece a USP Institut Universitari Dexeus de Barcelona, y es jefe del Servicio de Neurofisiología del Institut Dexeus. También es coordinador de la Unidad de Sueño del Hospital General de Catalunya. Ha publicado, entre otros, el libro *Duérmete, niño*, del que ha vendido más de un millón de ejemplares en España y que ha sido traducido a quince idiomas.

Montse Domènech es licenciada en Pedagogía y Psicología Infantil por la Universidad de Barcelona. Trabaja en su centro privado, donde se ocupa principalmente de la atención psicopedagógica de niños, adolescentes y jóvenes con trastornos escolares, conductuales y emotivos. Es coautora, junto con el doctor Eduard Estivill, del libro *Vamos a la cama*, que trata el tema del insomnio infantil en niños de entre cinco y trece años, y del libro *Cuentos para antes de ir a dormir*, publicado también en Booket.

Índice

Para Carla, Àngel y Damià
con el amor que se transmite
educando para la vida

Prólogo

Cuando iniciamos la tarea de escribir unos cuentos con contenido pedagógico para antes de ir a dormir, teníamos muy claro lo que queríamos conseguir: proporcionar unas herramien-
tas prácticas a los padres para educar mejor a sus hijos. Esto
era todo un reto, porque teníamos que saber transmitir estas
ideas de forma fácil y concisa. Y lo conseguimos a través de
Cuentos para antes de ir a dormir.

Hoy, un año después de la aparición del primer volumen, constatamos con gran satisfacción que el objetivo se
ha logrado. Pero el mérito ha sido vuestro: de los padres,
abuelos, cuidadores, maestros y demás personal dedicado
al cuidado de los niños. Porque sin vosotros la función edu-
cativa que cumple este libro no hubiera sido posible. Nosotros nos hemos limitado a transmitir conceptos pedagógicos
de forma fácil y asequible. Vuestro mérito es el contacto directo y diario con el niño, que permite que nuestra tarea sea
eficaz.

Puesto que la idea básica de los cuentos es afrontar distintas situaciones cotidianas que los niños deben aprender a vivir, nos queda todavía mucho trabajo por delante. La experiencia clínica acumulada en más de treinta años de trabajo nos hace perseverar para brindaros, en este nuevo libro que tenéis en las manos, nuevos temas para afrontar situaciones concretas de manera tan fácil y divertida como en el anterior volumen.

En esta nueva entrega abordamos temas tan interesantes e importantes como las fobias, la nueva pareja del padre o la madre, la problemática de los hermanos gemelos o el mal comportamiento del niño en diferentes ámbitos. Cada cuestión está ilustrada a través de un atractivo cuento, con la correspondiente pauta pedagógica para que los padres puedan extraer todo su jugo.

El primer volumen de cuentos se completaba con unos principios teóricos para adquirir nuevos hábitos. En este pequeño ensayo práctico tratamos, entre otras cuestiones, cómo se adquiere un hábito, la importancia de que los padres transmitan seguridad y confianza a los hijos, y cómo los cuentos pueden ayudar a dormir bien a los más pequeños. Como en esta introducción teórica están los conceptos fundamentales en los que se sustenta este libro, hemos decidido incluirla nuevamente en el segundo volumen.

Por lo tanto, los que ya conocen la anterior antología y tienen claros estos conceptos, pueden pasar, si así lo desean, directamente al primer cuento. Para los demás, recomendamos encarecidamente su lectura para caminar con paso seguro en la gran tarea de educar a vuestros hijos.

Esperamos que esta nueva propuesta pedagógica consiga la misma aceptación que la anterior. Estamos a vuestra disposición para seguir colaborando en la educación de vuestros hijos. Sólo así conseguiremos niños más seguros, felices y sobre todo mejores personas. No cabe duda de que entre todos lo lograremos.

Principios teóricos
para aprender buenos hábitos

Cuando los padres se plantean tener un hijo, dan por supuesto que van a ayudarlo a crecer con todo el amor del mundo y a enseñarle a ser una persona feliz y responsable. Toda esta aportación de afecto, enseñanzas y normas proporcionan generalmente un resultado excelente si se imparten con sentido común y coherencia. Los hijos reciben todos estos estímulos y responden a ellos en función de dicha coherencia.

Cuando algunos padres se preguntan por qué su hijo no les ha salido como esperaban y por qué adopta formas de conducta tan insólitas, habrá que preguntarse en qué momento de su crecimiento empezaron a surgir incoherencias y cuándo se malinterpretó el sentido común. No es cuestión de sentirse culpable y lamentar las equivocaciones cometidas, sino de valorar lo que ha ocurrido y reflexionar sobre cómo recuperar el buen camino.

Todo lo que los padres enseñan y dan a sus hijos con afecto es positivo, aun con equivocaciones, ya que de los errores se aprende mucho y permiten mostrar las cualidades y defectos propios de cada persona.

Así pues, nadie nace enseñado y de todo se aprende si hay una buena predisposición. Cuando los padres reconocen que no saben cómo inculcar determinados hábitos a sus hijos, no hay nada mejor que buscar los medios para aprender a hacerlo, sin correr el riesgo de improvisar estrategias que podrían empeorar las cosas. Ya habréis oído muchas veces frases como «ya lo hemos probado todo», «no hay manera». Por supuesto que hay manera, y es mucho más sencillo de lo que parece.

¿Cómo se adquiere un hábito?

El dormir a unas horas determinadas y en condiciones estimadas deseables es un hábito y, como tal, se aprende. Vamos a utilizar el ejemplo de la comida para entender cómo se enseña un hábito a un niño:

1. Asociando unos elementos externos a dicho hábito. Cuando llega la hora de comer, los padres siempre llevan a cabo las mismas acciones y preparativos, como si se tratase de un ritual. De forma natural, cogen al niño, lo sientan en la sillita, le ponen el babero, cogen un bol y una cuchara. Estos elementos (sillita, babero, bol y cuchara) permanecen siempre con el niño durante el tiempo en que está tomando la papilla, es decir, llevando a cabo un hábito asociado al comer. A nadie se le ocurre retirar uno de estos elementos antes de que acabe el hábito (a media papilla no se llevan la cuchara y le dicen al niño que termine de comerla con los dedos).

La repetición de esta asociación de elementos externos con el hábito (comer) infunde seguridad al niño. Al cabo de un tiempo el pequeño conoce tan bien todo el proceso que con sólo ver aparecer el bol empezará a agitar los bracitos alegremente porque sabe que ha llegado la hora de la papilla.

2. Mostrando una actitud segura y confiada. Hay que tener presente que los niños siempre captan lo que los adultos les transmiten. Un bebé nunca se traumatiza solo. Siempre hay algo o alguien que le provoca el trauma.

Desde sus primeros días de vida, un niño entiende lo que los adultos le comunican mediante el tono que emplean al hablarle. No necesita comprender el significado de las palabras para saber si sus padres están enfadados o alegres.

En este sentido, no le importará que lo llamen «gordito» o «mocoso» si la voz que lo hace suena dulce, mientras que se asustará al oír un «¡Qué guapo eres, amor mío!», si la garganta pronuncia la frase como un grito.

Del mismo modo, el niño también es capaz de percibir si sus padres se sienten o no seguros al llevar a cabo un acto. Si los adultos que lo cuidan se muestran dubitativos, él también dudará y se sentirá inseguro cuando le toque desempeñarlo a él.

Al enseñar a comer a sus hijos sus primeras papillas, los padres se muestran confiados y tranquilos. Y los niños así lo entienden. Ven que sus papás no tienen ninguna duda acerca del modo en que los bebés deben tomar las papillas en esta parte del planeta. No manifiestan ni un amago de inseguridad al respecto. Siempre lo hacen de la misma manera porque están convencidos de que es la correcta. Tanto es así, que incluso discreparían del más prestigioso de los pediatras si éste apareciese en la televisión explicando una revolucionaria teoría sobre las ventajas de que los niños tomen los potitos con pajita y tumbados en el suelo.

Los papás no dejan que sus hijos coman de una manera diferente a la que ellos le enseñan. Si el niño mete la mano dentro del plato o espurrea el zumo de naranja, los adultos le explican que está actuando incorrectamente. Y a continuación le indicarán el modo de hacer lo correcto igual que le explican que la cuchara se emplea para tomar la sopa y los yogures.

Y, ¿verdad que a nadie se le ocurriría pensar que un niño se va a traumatizar porque lo «obliguen» a comerse el yogur con cuchara? No, porque cuando se lo explican, los adultos lo hacen de manera pausada y natural, no como si se tratase de un castigo. Nadie le va a decir «Y ahora te voy a castigar a comerte la sopa con cuchara». Y, como no le vamos a transmitir sensación de castigo, el niño nunca va a vivir traumáticamente este hecho.

En cambio, con el dormir no sucede lo mismo. Tal vez vosotros también habéis pronunciado en alguna ocasión una frase similar a «Si te portas mal, te irás a la cama». Y es que a menudo los padres castigan a sus hijos con irse a la cama o a dormir. Al hacerlo, provocan que el niño asocie la «cama» con castigo, con algo negativo y hasta traumático.

¿Qué sucedería si dudáramos?

Pensemos por un momento en que los padres no tienen tan claro que para que un niño coma correctamente hay que sentarlo en una sillita, ponerle un babero y ayudarse de un bol y una cuchara. Imaginemos que un día cambian el babero por un mantón de Manila y el bol por un casco de moto, y que en vez de sentar al niño en su sillita optan por «instalarlo» en la canasta de baloncesto del jardín mientras prueban a encestar las cucharadas de papilla desde la ventana del comedor. Absurdo, ¿verdad? ¿Y qué va a pensar la pobre criatura? Probablemente, estará deseando crecer y aprender a hablar y decir: «A ver hoy dónde me darán de comer estos ineptos.» Ahora, en serio, con tanta duda e improvisación, los padres están transmitiendo inseguridad a su hijo. El niño capta que los adultos se sienten desbordados, que no saben qué hacer y que van improvisando. Además, al cabo de un rato, estarán malhumorados y frustrados. De este modo, resulta totalmente imposible que el chiquillo se sienta seguro y que aprenda los hábitos apropiados para un buen comer. No lo conseguirá hasta que sus progenitores le transmitan la seguridad necesaria para entender que aprender a comer con su cuchara es algo sencillísimo y no un número circense.

¿Cómo se comunica un niño?

Un niño es un ser inteligente, listísimo. Desde el momento en que nace observa detenidamente a sus padres y sabe cómo actuar para conseguir que ellos respondan a sus deseos y demandas. Es decir, sabe perfectamente que toda acción suya provoca una reacción en sus padres. A medida que el bebé crece también aumenta su capacidad de comunicarse con los adultos.

De los 6 a los 18 meses (cuando todavía no sabe hablar): su manera de comunicarse durante este período consiste en realizar una acción que provoque una reacción en el adulto. En este sentido, puede:

– Sonreír, decir bubú, dar palmaditas: con esas monerías consigue que sus padres se emocionen y se hinchen como orgullosos sapos. Sin embargo, al vigésimo bubú, los padres parecen no escucharlo.

– Llorar, gritar, vomitar y darse golpes: con este eficaz repertorio obtiene toda la atención de sus padres, que corren a hacerle compañía y mimos. En realidad, no le pasa nada, sólo quiere llamar la atención y no estar solo.

Por eso, cuando el niño no sabe conciliar el sueño por sí mismo y se siente inseguro, intentará que sus padres corran en su busca. Pero como ha comprobado que diciendo bubú nadie lo atiende, probará con una acción más contundente pero no por eso debéis asustaros. Para un niño vomitar es algo muy sencillo y aunque se dé golpes —algo que en principio os puede alarmar, y con razón—, no llegará a hacerse daño y abandonará esta práctica en cuanto entienda que vosotros no le dais ninguna importancia.

De los 18 meses a los 5 años: a esa edad los niños adquieren una nueva arma: el lenguaje. Sin embargo, lo utilizan de un modo distinto al que lo hacemos los adultos. Para un niño de tres años la palabra es una acción más. Saben que al pronunciar determinados vocablos sus padres reaccionan inmediatamente. Después de mucho experimentar saben que:

— A un «mamá-coca-cola» a las dos de la mañana no se le hace ningún caso.

— Un «papá-sed» repetido veinte veces a las dos de la mañana logra que el padre se levante de la cama a la que hace veintiuna. Y, aunque sea imposible que el niño tenga sed, cuando le den el vaso de agua se lo beberá. Lo hará sólo para que piensen «pues era verdad, pobrecito». De ese modo, piensa el niño, también le harán caso la próxima vez que utilice dicho recurso.

— Un «mamá-pupa-barriga» es infalible. Consigue que cualquier madre se abalance sobre su pequeño para comprobar que se encuentra bien.

Conclusión: ¿Qué hará un niño cuando quiera que sus padres corran a hacerle compañía? Está claro, utilizará las palabras más alarmantes y eficaces aunque no tengan ningún fundamento y, en ocasiones, ni siquiera sepa qué significan exactamente.

Cuanto antes, mejor

Los berrinches, comedias e intentonas desesperadas de llamar la atención son formas de «conducta inadecuada» de vuestro hijo. Ante un comportamiento de este tipo caben dos posibilidades:

1. No hacer caso al niño.
2. Atender a su llamada de atención.

¿En qué consisten estas dos posibilidades? Pongamos un ejemplo sencillo: vuestro hijo quiere que le deis un objeto que está en la habitación. Su manera de pedirlo es señalarlo y empezar a berrear. Dar berridos es una conducta inadecuada. Ante ella, podéis reaccionar:

– No haciendo caso de sus chillidos. Es decir, no le dais el objeto y simuláis que ni siquiera lo oís. De ese modo, el pequeño aprende que las cosas no se piden poniéndose como un basilisco y tendrá que encontrar otro modo, el que vosotros le enseñaréis que es el adecuado.

– Dándole el objeto porque sus agudos gritos están a punto de destrozar vuestros nervios y hasta la vitrina del comedor. Si respondéis a su demanda, el niño creerá que es la normal y siempre pedirá las cosas de la misma manera. Es decir, estaréis reforzando su conducta inadecuada.

La conducta puede ser innata o aprendida. El llorar o patalear para conseguir un objeto constituyen formas de conducta innatas, que cualquier bebé realiza de manera espontánea sin que nadie se las explique. Pero no por innatas tales actitudes dejan de ser inadecuadas.

Según cómo actúen los padres ante estas primeras reacciones, el niño aprenderá a repetirlas o a desecharlas. A partir de ese momento —de esa interacción—, el llorar será una conducta aprendida. Cuantas más veces la reforcéis, más difícil os resultará modificarla. Y si el niño cumple diez años comportándose de ese modo probablemente será insoportable durante toda su vida.

Por tanto, lo mejor y lo más fácil es empezar a modificar las formas de conducta inadecuadas cuanto antes. La manera de hacerlo será siempre la misma, tanto para un niño de ocho meses como para otro de cuatro años: nunca se hará caso de ellas.

Despacito y buena letra:
es el momento de los cuentos

Está comprobado que el cerebro de un niño concilia el sueño con mayor facilidad si le enseñamos a dormir en la franja horaria que va entre las ocho y las nueve de la noche en invierno y las nueve y las diez en verano. Por eso es fundamental que nos guiemos por este horario para fijar el nuestro propio y que, una vez establecido, lo respetemos siempre.

Teniendo en cuenta este horario determinaremos cuándo vamos a realizar las demás rutinas y concluiremos que la mejor hora para darle de cenar será a las ocho de la noche (recordad que la comida nos ayuda a poner en marcha el reloj).

En cualquier caso, en cuanto el niño acabe de comer, retiraréis todos los elementos externos asociados al hábito de comer, incluidos el vaso de leche, los zumos... Así el niño entenderá que la comida tiene sus tiempos y que no deberá recurrir a las excusas de «tengo hambre» y «tengo sed» cuando se encuentre solo e inseguro en su habitación. Cada cosa tiene su momento.

El hábito del afecto como paso previo
para enseñar a dormir a un niño

Los nuevos descubrimientos científicos sobre cómo aprende a dormir un niño nos indican que el estado de relajación previo al sueño es básico y necesario. Nadie se duerme moviéndose, hablando, gritando o riendo, y menos los niños. Es necesario un estado de calma y tranquilidad para iniciar el paso que va de estar despierto a estar dormido.

Hoy en día sabemos que el niño aprende a dormir correctamente mediante asociaciones. El hábito se adquiere porque el niño aprende a asociar elementos externos como son el ruido y la luz con vigilia y el silencio, la oscuridad, su muñeco y sus chupetes, si los usa, con el sueño.

Estos elementos deben permanecer con el niño todo el tiempo que dura el hábito, ya que si se despierta a medianoche y no los encuentra el niño los reclamará llorando. Es conveniente utilizar elementos externos que puedan estar **toda** la noche con el niño y nunca darle «cosas» que después vayan a desaparecer (agua, la manita, los brazos de mamá, la luz, canciones, cuentos, etcétera).

Para que el niño pueda iniciar el aprendizaje del hábito de dormir es primordial que exista previamente un espacio de tiempo, que puede ser de diez a veinte minutos, durante el cual los padres proporcionarán un estado placentero, afectuoso y de relajación al niño, para que éste entre lo más calmado posible en su cama o cuna y así concilie el sueño **solo**.

Es en este espacio de tiempo «de relajación» cuando explicar o leer cuentos juega un papel importante, ya que proporciona al niño ese estado de tranquilidad que lo preparará para iniciar el sueño solo. No obstante, debemos evitar que el niño se duerma mientras escucha nuestro relato, ya que si vuelve a despertarse, el niño reclamará el cuento para volver a dormirse. Es decir, debemos evitar que el niño relacione los cuentos como un elemento externo de su sueño.

El momento más adecuado para leer los cuentos es justamente después de cenar. Es el instante que nosotros conocemos como «hábito de la afectividad». Debe buscarse un lugar tranquilo, como puede ser el sofá de casa, sin televisor ni ruido alrededor, para explicarle que empezaremos a estar con él. Es un espacio de tiempo tranquilo y relajado que los padres regalan al niño. Él debe asociarlo precisamente a ese afecto que los padres le dan. El niño debe estar bien despierto, con luz alrededor y tiene que tener claro que son los padres los que deciden explicar un cuento. Siempre será uno cada noche, y cuidado porque el niño siempre os pedirá más, pero es básico que vosotros impongáis vuestras condiciones. Un cuento cada día es suficiente para proporcionar al niño afecto y tranquilidad. Si siempre lo hacéis así el niño asociará este momento agradable con la antesala del sueño.

Llegará el momento en que el niño, feliz, os pedirá que le leáis un cuento para después irse a la cama de forma voluntaria y sin llanto.

Recordad: cuentos para comunicar afecto, seguridad y relajación, no para que los niños se duerman.

Cuando hace ocho años publicamos nuestro primer libro con una serie de normas para enseñar a dormir a los niños, nunca pensamos en la gran aceptación que tendrían nuestros métodos. No obstante, después de ver traducidas nuestras ideas a más de quince idiomas, pensamos que los padres tienen en ellas una herramienta útil para inculcar unos buenos hábitos de conciliación del sueño en sus hijos.

Nuestro método se basa, sencillamente, en seguir una serie de rutinas y transmitir afecto mientras las aplicamos. Tan fácil y tan difícil a la vez.

Estas rutinas son básicamente tres: hábito de comer correctamente (cena), hábito de la comunicación afectiva (estado de relajación previo al sueño) y unas pautas de conducta adecuadas para enseñar a dormir correctamente a nuestro hijo.

En el segundo punto, el de la comunicación afectiva, es donde cumple su función el libro que ahora os presentamos. Tal como explicamos más arriba, es necesario un estado previo de relajación para que el niño se duerma y eso se logra con lo que denominamos «hábito de la afectividad». Y los cuentos resultan una herramienta utilísima como elemento externo de expresión del afecto.

Nuevos cuentos para antes de ir a dormir es un compendio de cuentos a los que recurrir precisamente en ese momento, y a los que hemos querido aportar algo nuevo. Están especialmente pensados para que contengan un plus educativo, no sólo para que tengáis un material para leer o explicar antes de inculcar a los niños el hábito del sueño, sino para daros algunas normas a la hora de tratar sobre determinados problemas, dudas e interrogantes concretos que vuestros hijos os pueden plantear.

El libro que tenéis en vuestras manos ha sido concebido con un propósito determinado. Hay muchos libros de cuentos para entretener a vuestros hijos y para enseñarles algo, pero *Nuevos cuentos para antes de ir a dormir* se ha escrito en su totalidad con una idea determinada: servir a los padres para tratar en forma de relato aquellos problemas, dudas, angustias y malos hábitos que con frecuencia aquejan a nuestros hijos.

Ellos están en fase de crecimiento y por tanto de «construcción», por así decir, de su personalidad. Nuestra ayuda como padres en esa construcción es esencial. Los hemos traído al mundo, los queremos, pasamos muchas horas con ellos y tenemos toda una experiencia que transmitirles. Los hijos pasan de unos maestros y profesores a otros, de unos amigos a otros, pero nunca cambian de padres. Así que los padres siempre estamos «de guardia». A nosotros nos han contado cuentos de pequeños y siempre los hemos solicitado. «¡Cuéntame un cuento!» ha sido nuestro estribillo. Nos ha gustado que nuestros padres nos contasen un cuento. Se nos han grabado en la mente. Y a menudo han cambiado nuestra conducta y nuestras ideas sobre el mundo. Una orden o recomendación son algo explícito que conviene obedecer. Pero un cuento es un verdadero paseo por mundos en los que las peripecias de los protagonistas nos muestran una serie de valores y experiencias que nos costaría más aprender con sólo una simple orden. Y además disfrutamos con la historia. Recuerdo que mi madre me contaba cuentos. Había nacido una hermanita y estaba celosa, pero mi madre supo dedicar un tiempo, mientras cocinaba, a contarme una historia fabulosa, llena de personajes apasionantes, de la que hoy todavía me acuerdo. Creo que los padres no sólo deben comprarles cuentos a los niños, también deben contárselos. La hora de contar cuentos es una hora de afecto que ningún libro impreso, ni la televisión, ni Internet, ni las películas por sí mismos pueden sustituir.

Los niños son personas en desarrollo. No han llegado todavía al grado de madurez de un adulto y necesitan saber, comprender, informarse sobre un montón de cosas, por eso preguntan y experimentan tanto. Los cuentos son para ellos una parábola de la vida. Como su mente es todavía tan versátil y orientada hacia lo fantástico, saben captar estupendamente la fantasía de los cuentos como algo que tiene que ver con la vida. Si a un niño le decimos «no seas atrevido, es peligroso», puede que lo comprenda pero no «vive» la posibilidad de tal peligro. Pero si le contamos un cuento como el titulado «Un gran aventurero», en que un niño huye de casa para correr grandes aventuras que tienen un final comprometido, entonces sabrá mejor a qué nos referimos porque vivirá la peripecia con el protagonista.

Las diversas historias contadas se ajustan a nuestro mundo moderno pero contienen una buena dosis de elementos maravillosos o fantásticos, que es el sello de un buen cuento. Aquí encontraréis brujas buenas, urracas que dejan de robar, princesas que vienen de otro planeta, niñas que se convierten en reinas en su imaginación, huchas mágicas, encantamientos y hasta objetos que brillan en la oscuridad… Todo ello perfectamente engarzado en situaciones de lo más actuales.

Los cuentos son tan importantes en la vida de los niños que debemos ser cuidadosos al seleccionar los que vamos a contarles. Si un niño tartamudea, es mejor que no se sienta censurado ni acosado para hablar bien. Nuestro cuento del anterior volumen «Viaje al planeta Tartax» fue ideado contando con que la princesa que tartamudea no lo hace por un defecto de habla, sino porque procede de un planeta en el que se habla de ese modo. Pero como la princesita debe vivir en el planeta Tierra, ha de aprender a hablar en el «idioma terrestre». De este modo no se culpa ni ridiculiza al niño tartamudo, sino que se le hace ver que debe cambiar su modo de hablar por medio de ciertas técnicas para adaptarse al mundo en que vive.

Ese respeto al niño que debe vencer dificultades y problemas ha sido nuestra norma. Todos los niños tienen problemas y dificultades para hacerse adultos, de modo que hemos ideado una colección de cuentos adecuados para cada una de las dificultades, al menos las más actuales y habituales, por las que pasan nuestros hijos. Teniendo en cuenta además que éstos no padecen uno solo de esos problemas sino que pueden ir padeciendo varios de ellos a lo largo de su infancia, si no todos (¡aunque esperemos que no!), podremos utilizar muchos de los cuentos de la colección para un solo niño. El niño que hoy teme a los monstruos mañana sufrirá el conocido *shock* a causa del nacimiento de un hermanito; y el que vive muchos años como hijo único tal vez necesite de una buena inmersión —a través del cuento— en una familia numerosa para aprender ciertas cosas; el que es desobediente puede que más tarde obedezca pero sea un chico solitario; y el que temió que la Tierra chocase con un aerolito, es probable que en otra etapa de su crecimiento sea un niño inapetente, sin que unos problemas tengan que ver con otros: se trata más bien de distintas etapas de crecimiento.

Un cuento para cada día, sí, pero también un cuento para cada temporada. Si además tenemos varios hijos, es obvio que a cada hijo le convendrá un cuento distinto.

Los cuentos en sí mismos son sólo un material a vuestra disposición. Si el lenguaje o el significado de cada uno de ellos suscita dudas y preguntas en vuestro hijo, a vosotros os cabe aclararle esas dudas. Si os parece que el niño es demasiado pequeño, a vosotros os cabe traducirlo a palabras más sencillas en el momento de leerlo. Si, por el contrario, es demasiado mayor, el cuento os dará ocasión de enriquecerlo o de bromear sobre él, todo ello según el carácter y la formación de vuestro hijo. Contamos también con la vida que le daréis al relato y a los diálogos de los personajes al leer el cuento en voz alta. Podemos variar el tono según el efecto que queramos producir en el niño: emoción, risa, ternura, exageración. Basta con mirar su carita para saber qué es lo que siente nuestro niño. Si está aburrido, nos apañaremos para darle emoción al cuento añadiendo, si es necesario, detalles de nuestra cosecha; y si está asustado, nada mejor que quitarle importancia a la historia dándole un aire de comedia exagerada hasta verlo sonreír. Nuestros cuentos son un material vivo.

Los cuentos son sencillos, pero si encontráis palabras que el niño no pueda entender, será buen momento para que las comentéis. Recordad que las palabras que son comunes en un país, pueden ser poco corrientes en otro y viceversa. Ello resulta también útil para que los padres y abuelos puedan ilustrar a los niños sobre palabras de su tierra natal o su infancia que el niño no conoce porque no suele oírlas.

Y, finalmente, el libro os puede ser útil porque comprende veintitrés cuentos adaptados a otros tantos problemas o inquietudes de los niños, y un comentario al final de la obra que os aclarará por qué aparece cada problema y cómo hay que tratarlo, con algunos comentarios orientativos sobre el significado y la intención de cada cuento. Un índice con la agrupación de cada cuento o cuentos bajo un determinado epígrafe (el niño superdotado, el que tiene miedo, etcétera) os acabará de facilitar el trabajo de búsqueda.

Los cuentos tienen distintos enfoques según sea el problema a tratar. Los hay pedagógicos, que sirven para enseñar hábitos saludables; terapéuticos, si llegan a ser capaces de «curar» sentimientos negativos o penas interiores, como la separación de los padres o el nacimiento de un hermanito; consoladores, que son útiles para dar consuelo ante lo irremediable, como la muerte de un ser querido, un animal, un amiguito; desmitificadores, que sirven para reírse de los «cocos» que aparecen en la vida del niño; de ánimos y realización personal como en el caso de los niños superdotados o solitarios; el niño que todo lo consigue a golpes, o el que se niega a dormir en ausencia de mamá y tiene que tomar la saludable «medicina» que le administra su padre…

Nuestra idea es que uséis tanto nuestro libro de cuentos para antes de ir a dormir que, al final, acabe roto y gastado. Esperamos que os sea muy útil.

Cuentos

El pequeño Einstein

Óscar era un niño tan inteligente que sus maestras le llamaban el «pequeño Einstein», que era el nombre de un sabio muy famoso que siempre iba despeinado, como él.

—Espero que utilices esa cabeza que tienes para descubrir muchas cosas importantes —le decía su abuela.

Y es que Óscar no sólo era muy listo, sino que tenía la cabeza bastante grande, dicen que de tanto pensar. Sus compañeros de clase le hacían toda clase de bromas:

—¡Ven aquí, cabezón! —le decía uno.

—Tienes cabeza para los estudios, ¿eh? —se reía la otra.

—Óscar, ¡no seas cabezota! —gritaba un tercero.

Lo cierto es que a los dos años, Óscar ya sabía sumar y restar. A los tres, multiplicaba, dividía y

leía el periódico. A los cuatro, sabía ya tantas cosas que las maestras le tenían miedo, porque siempre hacía preguntas para las que no tenían respuesta.

Óscar preguntaba cosas como...

—Señorita, ¿qué hay cuando se acaba el universo?

—¿Cómo quieres que lo sepa? —le respondía la maestra—. Si algún día voy ahí, ya te lo contaré.

Como era tan listo y sacaba siempre las mejores notas, el resto de la clase le tenía manía y no le dejaban participar en los juegos.

Óscar tenía un único amigo en la clase: Raúl, que sacaba las peores notas de toda la escuela.

—Los contrarios se atraen —decía el profesor de gimnasia cuando veía a los dos niños hacer deberes en un rincón del patio.

A Raúl le costaba mucho entender las matemáticas. Por eso cada mediodía, Óscar le daba clases. Le ayudaba a hacer los ejercicios y le explicaba con ejemplos muy divertidos cómo funcionan los números.

Tan buenas fueron aquellas clases que, al cabo de dos meses, Raúl —aunque era lento— dejó de suspender. Poco después pasó a estar entre los mejores alumnos en esta asignatura. El «pequeño Einstein» estaba contento, porque su ayuda había servido de algo. Y soñó que cuando fuera mayor, daría clases y conferencias en salas llenas de gente que al final le aplaudiría mucho.

Sólo había un problema: Raúl había aprendido tanto que ya no necesitaba clases de repaso. Por consiguiente, Óscar volvía a estar solo en el patio. Cuando un maestro pasaba por su lado, le daba

ejercicios extra para que se entretuviera. Él hubiera deseado ser menos «Einstein» y poder jugar con los otros niños, que saltaban y gritaban entusiasmados.

Hasta que un día pasó algo muy gordo que demostró que ser demasiado listo también puede tener ventajas.

Un grupo de bandidos entraron en la escuela y cerraron las puertas con grandes candados. A continuación, todos los niños y maestros fueron llevados al patio. Les prohibieron moverse de ahí hasta que los familiares pagaran un rescate, además de un helicóptero para fugarse con el dinero.

El helicóptero podían conseguirlo, aunque fuera de alquiler, pero la cantidad de dinero que pedían tenía tantísimos ceros que los padres de los alumnos y las familias de los maestros nunca podrían reunirla.

Pero entonces Óscar tuvo una idea genial. Mientras el jefe de los bandidos hablaba por su teléfono móvil, supo lo que podían hacer.

Ante la sorpresa de alumnos y profesores, el «pequeño Einstein» habló así al jefe de la banda:

—Mis padres pagarán el rescate si aceptáis que lo hagan en monedas sueltas.

Los bandidos estallaron en una enorme carcajada. El jefe, muy serio, le preguntó:

—¿Y se puede saber de dónde van a sacar tantas monedas? Para pagar el rescate harían falta miles y miles.

—En los sótanos de mi casa hay cinco sacos llenos de monedas que mi padre ganó en un concurso de la tele —mintió Óscar—. Aún no ha podido ir a cambiarlas al banco, porque necesita una furgoneta para transportarlas.

El jefe y los bandidos se miraron para decidir si aceptaban aquella sorprendente propuesta. Finalmente, el jefe dijo:

—De acuerdo, aceptamos el pago en monedas, siempre que el helicóptero sea lo bastante grande para los sacos y nosotros. ¡Pero primero vamos a contarlas aunque tengamos que estar hasta la madrugada!

esto, dio la mano a Óscar para sellar

A continuación, el «pequeño Einstein» tomó el teléfono móvil del jefe de los bandidos para llamar a su padre. Le explicó que estaban secuestrados y que sólo los dejarían en libertad si entregaban los cinco sacos llenos de monedas que guardaba en el sótano.

—Entendido —dijo el padre con voz misteriosa—, mandaré una furgoneta con los sacos a la escuela.

Y, efectivamente, media hora más tarde llegó una furgoneta a la puerta de la escuela. Los bandidos descargaron los cinco sacos y los transportaron hasta el patio.

—Veamos ahora si está todo —dijo el jefe de los bandidos—. ¡Vamos a abrir todos los sacos!

Pero no hizo falta, porque los sacos se abrieron solos y de su interior no salieron monedas, sino cinco policías que se habían escondido en su interior, e inmediatamente detuvieron a los bandidos.

El jefe de la banda se tiraba de los pelos por haber sido tan inocente. El padre de Óscar había adivinado enseguida el plan de su hijo y había organizado el rescate con la policía.

Para celebrar su triunfo y salvación, los compañeros de Óscar le llevaron en volandas por todo el patio. Luego celebraron un partido de fútbol en su honor, en el que, por cierto, marcó tres goles.

Pauta pedagógica en p. 241.

Fantasmas en el ático

Benito acababa de cumplir ocho años y tenía miedo a casi todo: a los perros, a los túneles, a los parkings... pero lo que más miedo le daba era subir solo al piso de arriba de su casa.

Antes había vivido con sus padres en un amplio apartamento donde se sentía seguro. Era un piso moderno casi sin paredes, donde todo estaba a la vista y los fantasmas no tenían sitio para esconderse.

Porque ése era el problema: Benito estaba convencido de que el ático de su casa nueva estaba habitado por fantasmas espantosos. Desde que sus padres habían decidido mudarse a un viejo caserón reformado, su vida se había convertido en una pesadilla.

En el piso de abajo estaba el salón, el comedor, la mesa donde hacía los deberes y el baño más grande de la casa. Arriba, las habitaciones y el estudio de papá. Cada tarde sucedía lo mismo: Benito, que era muy aplicado, al volver de la escuela se dedicaba a hacer los deberes en su mesa. Pero siempre le faltaba algo que estaba en el piso de arriba: la enciclopedia de papá, los colores, el compás...

Antes de cenar, los padres a menudo estaban de charla en casa de los vecinos. A Benito sólo con pensar en subir a las habitaciones de arriba se le ponía la piel de gallina. Como las vigas del techo eran de madera, ahí siempre se oían crujidos y silbidos extraños. Le parecía que un ejército de fantasmas le espiaban desde todos los rincones, a la espera del momento para saltarle encima.

Siempre que podía evitarlo, no subía e intentaba hacer los deberes con lo que tenía a mano allí abajo.

Pero eso no siempre era posible, ya que muchas veces necesitaba la enciclopedia que papá tenía en su estudio o el material de dibujo que guardaba en las estanterías de su habitación.

¡Era un problemón espeluznante!

Una tarde que estaba solo, dudando de si subía o no a buscar un atlas, sonó el timbre de la casa y Benito tuvo un susto de muerte. Resultó ser su tío Germán, un importante psicólogo que tenía su consulta en Londres y viajaba una vez al mes a visitar a la familia.

Venía de sorpresa, como casi siempre. Había decidido visitar a unos amigos y cenar luego con Benito y sus papás. Al día siguiente a primera hora tomaría el avión de vuelta a la capital de Inglaterra.

A Benito le encantaba estar con su tío Germán porque era un hombre muy listo que siempre tenía historias interesantes que contar. Aquella tarde, mientras el psicólogo se interesaba por sus trabajos escolares, le contó su problema con los fantasmas del ático.

—¿Estás completamente seguro de que hay fantasmas? —preguntó Germán muy serio—. ¿Lo has comprobado por ti mismo?

—¡Pues claro! —dijo Benito, haciéndose el valiente—. ¡He subido ahí un montón de veces!

Germán tomó entonces un papel en blanco y un rotulador y le dijo a su sobrino:

—Vamos a hacer una investigación seria. Quiero que dibujes aquí con todo detalle los fantasmas que has visto arriba.

Benito se quedó un rato pensativo y finalmente dijo:

—No puedo dibujarlos.

—¿Por qué no? —preguntó tío Germán.

—Son invisibles. Sólo sé que cuando subo arriba, oigo ruidos raros y tengo mucho miedo.

—¿Puedes dibujar el miedo, entonces?

Benito caviló nuevamente y respondió:

—No, no puedo dibujarlo.

—¿Cómo puede existir algo que no puedes dibujar?

Benito se encogió de hombros, y Germán propuso a su sobrino que subieran juntos al piso de arriba para ver esos fantasmas invisibles que daban tanto miedo, también invisible.

Extrañamente, cuando Benito se encontró en el ático con su tío, no le pareció que hubiera nada raro ni sintió ningún miedo. La madera crujía y silbaba por el frío, es verdad, pero eso es lo que hace la madera en todas las casas viejas.

Benito, de repente, se sintió ridículo por haberle contado todo eso a su tío. ¡No quería que pensara que era un cobardica! Pero, para su sorpresa, Germán se acarició la barba y dijo:

—Tenías razón: hay fantasmas en el ático.

—¿Cómo? —preguntó Benito asombrado—. ¡Pero si aquí sólo estamos tú y yo!

—No me refiero a estas habitaciones sino al ático de ti mismo, ¡a tu cabeza! En ella viven los fantasmas que has alimentado con tu miedo: cada vez que piensas en ellos, se vuelven gordos y espantosos. Si no les prestas atención, en cambio, morirán de hambre o se irán a molestar a otra parte. ¿Lo entiendes?

Benito asintió con la cabeza, y prometió a su tío que a partir de entonces dejaría de alimentar a los fantasmas con sus pensamientos. Así se marcharían por siempre jamás.

Y así fue. A partir de ese día, Benito no volvió a tener miedo.

Pauta pedagógica en p. 243.

Problemas por partida doble

A los Pérez les costó tanto tener descendencia que cuando llegó, fue por partida doble. La señora Pérez dio a luz a dos niñas preciosas e idénticas, de ojos verde esmeralda y cabellos con rizos dorados.

Milena y Malena, como se llamaban, eran de bebés la sensación de todo el barrio. Cuando su papá o su mamá paseaban el cochecito doble por la calle, todo el mundo se detenía a admirar a aquellas dos bellezas como soles.

El problema fue cuando aprendieron a andar y correr por ahí. Pues enseguida se vio que las gemelas Pérez tenían un talento especial para las gamberradas.

A los tres años ya gastaban bromas haciéndose pasar la una por la otra. Siempre que venían visitas que no sabían que había gemelas en casa preparaban trucos.

Una vez vino un electricista a reparar una lámpara y las gemelas hicieron ver que eran una sola niña. Milena entró en la habitación en la que estaba trabajando el electricista y dijo:

—¿Sabe que puedo atravesar paredes?

—Eso sólo sucede en las películas malas —respondió el electricista.

—Pero yo puedo hacerlo de verdad —aseguró y, a continuación, se metió dentro del armario.

—¡Sal de ahí o te vas a ahogar! —dijo el electricista.

Pero en ese momento se abrió la puerta de la habitación y entró Malena. Como tenía el mismo vestido, peinado y voz que su hermana, el electricista pensó que entraba la misma niña.

—¿Lo ve como puedo atravesar paredes? —dijo Malena—. He traspasado el fondo del armario y la pared para volver a entrar en la habitación.

Asustado, el electricista acabó la reparación a toda prisa y se largó de aquella casa para nunca volver. ¡Lo que se rieron las gemelas Pérez durante toda la tarde!

Cuando empezaron a ir a la escuela, al principio se intercambiaban para que una se presentara al examen de la otra. Como las dos iban al mismo curso pero a diferentes grupos, cada una estudiaba la mitad de las asignaturas y luego se presentaban a los exámenes por partida doble. Milena hacía dos veces el examen de matemáticas, dibujo o geografía. Malena repetía a su vez el de gimnasia, inglés y naturales.

Pero pronto fueron descubiertas y recibieron una bronca de campeonato, además de quedarse por las tardes durante un mes para repetir todos los exámenes.

Cuando Milena y Malena se hicieron mayorcitas, las cosas dejaron de ser tan fáciles y divertidas como antes. Empezaron a tener celos la una de la otra y estalló una rivalidad terrible entre ellas. Competían para ver a cuál le sentaba mejor el vestido de moda, o quién hacía girarse a más chicos cuando paseaban por la calle.

—Me ha mirado a mí —decía Milena.

—Mentirosa, ¡es a mí a quien ha mirado! —respondía Malena.

A veces las disputas eran tan fuertes que necesitaban un juez que pusiera fin a la pelea. Por ejemplo, preguntaban a Tomás, el conserje de la escuela, cuál de las dos era más guapa, más lista, más elegante.

—Sois iguales —contestaba, aburrido, mientras levantaba la mirada del periódico—. Las dos sois igual de insoportables.

Y es que, en realidad, les daba mucha rabia no ser únicas. ¡A nadie le gusta tener un doble andando por ahí!

Agobiadas, se habían hecho a la idea de que serían dos calcos durante toda la vida. Pero el día de su quince cumpleaños sucedió algo que lo cambió todo.

Al bajar las escaleras del instituto, como siempre juntas, Milena tropezó con el miope de la clase. Era un chico nuevo que había entrado en el centro a mitad de curso, y estuvo a punto de hacerla rodar escaleras abajo.

—¿Es que no te han graduado bien la vista? —le gritó Malena—. ¡Casi tiras a mi hermana!

—No te enfades —la calmó Milena—. Le puede suceder a cualquiera.

Y Malena notó un brillo extraño en los ojos de su hermana que no

había visto nunca. Se había enamorado del gafitas. ¡Cómo le podía gustar ese chico tan torpe!

Ese día se dieron cuenta, por primera vez, de lo diferentes que eran. Poco después, Malena empezó a salir con el pijo de la clase, que a Milena le parecía absolutamente repipi e insufrible.

Los años pasaron y cada una de las gemelas Pérez siguió un camino propio. Una y otra se casaron y tuvieron hijos, que llegaron de uno en uno y fueron todos muy diferentes.

Pese a conservar el parecido, también Milena y Malena se habían vuelto distintas, lo cual no les impidió ser siempre buenas hermanas y las mejores amigas del mundo.

Pauta pedagógica en p. 245.

La novia de papá

Érase una vez un papá que se marchó de casa y dejó al pequeño Adrián, al que le encantaba contar, solo con su mamá. $3 - 1 = 2$. El amplio apartamento se veía muy vacío desde que había perdido una persona. Para compensarlo, Adrián ahora tenía dos casas: en una vivía con su mamá de lunes a viernes y en la otra vivía con su papá los fines de semana. $1 + 1 = 2$.

Al principio, Adrián se sentía muy confundido porque no entendía lo que había pasado, pero luego le pareció divertido tenerlo todo duplicado (o sea x 2): dos camas, dos escritorios, dos pares de zapatillas... pero no estaba dispuesto a tener ¡dos mamás! En la vida pasan cosas muy raras.

Todo el lío empezó el primer sábado de primavera. Como cada fin de semana, su mamá le llevó en coche hasta el apartamento de papá. Le dio un beso y prometió venirle a buscar el domingo por la tarde.

Mientras subía con papá en el ascensor, Adrián notó que algo iba mal. En lugar de contarle cosas graciosas, como hacía siempre, papá silbaba y miraba nervioso hacia el techo.

—¿Pasa algo, papá? —le preguntó.

—No —respondió—. Bueno, en realidad sí. Tengo una sorpresa para ti. Quiero que conozcas a una persona.

Y no dijo nada más hasta que llegaron al piso once. Normalmente, entonces, su papá se sacaba la llave del bolsillo y abría con un giro suave, pero esta vez no fue necesario. No lo fue porque la puerta estaba abierta y una mujer desconocida, alta y delgada, les esperaba con una sonrisa.

—Hola, Adrián —dijo, agachándose para darle un beso.

Pero Adrián apartó la cara y se abrazó a su padre:

—¿Quién es esta mujer, papá?

—Te presento a Jacqueline. A partir de ahora compartirá con nosotros los fines de semana. Lo pasaremos muy bien juntos, ¿verdad Jacqueline?

Adrián corrió hasta su habitación y se encerró, negándose a salir hasta que la mujer alta y delgada se marchó de la casa.

—Eso no ha estado bien —le riñó su papá—. Por esta vez, lo dejaré pasar. Todo el mundo tiene un mal día. Pero el próximo fin de semana quiero que seas amable con Jacqueline y su hijo.

—¿También va a venir un niño? —gritó—. ¡No lo pienso aguantar!

Y se volvió a encerrar en la habitación, de donde ya no salió en todo el día.

El lunes por la mañana, a la hora del patio, Adrián se encontró con Pedro. Era su mejor amigo, así que le explicó el problemón que le esperaba al sábado siguiente.

—No sólo ha traído a una mujer a casa. ¡También vendrá un niño!

—Maldita sea, yo tengo el mismo problema —dijo Pedro—. Desde que mi madre tiene novio, quiere que lo conozca, y también a su hijo. Dice que este fin de semana me los presentará. ¡Y no me da la gana!

—¡Maldita sea! —exclamó Adrián como un eco—. Entonces estamos igual de mal. Hay que buscar una solución de emergencia.

—Yo ya la tengo —dijo Pedro desafiante—. ¿Sabes qué voy a hacer? En cuanto me traigan a ese niñato, le voy a dar un puñetazo que no se volverá a acercar a mí en mil años.

—¡Pues yo haré lo mismo! —gritó Adrián entusiasmado.

Y sellaron el pacto como dos mafiosos, con un apretón de manos.

Llegó el temido sábado y, mientras Adrián subía en ascensor con su papá, apretaba muy fuerte el puño que pensaba descargar contra el hijo de Jacqueline.

—Están los dos arriba esperándote —le dijo su padre—, así que espero que te portes bien.

Adrián no respondió, porque ya tenía decidido lo que iba a hacer. Había sellado un pacto y lo iba a cumplir. ¡Vaya que sí!

Cuando llegó al piso once, la mujer alta y delgada volvía a estar en la puerta con la misma sonrisa de la semana anterior. Detrás de ella adivinó la sombra de su enemigo.

—Hola, Adrián —dijo la mujer con voz dulce—, quiero presentarte a...

Pero antes de que pudiera terminar la frase, Adrián apartó a Jacqueline para descubrir a su rival, que también amenazaba con el puño.

Era Pedro.

En un primer momento, los dos niños se quedaron paralizados, como dos figuritas en posición de ataque. Luego Pedro empezó a reír y Adrián hizo lo mismo. Jacqueline y el papá de Adrián miraban asombrados cómo los dos niños se abrazaban llorando de risa, porque no entendían lo que pasaba.

A partir de ese día, los fines de semana empezaron a ser más divertidos que nunca. Adrián fue perdiendo la manía a Jacqueline. A fin de cuentas, la mamá de su mejor amigo no podía ser tan mala.

Sólo estaba seguro de una cosa: ¡en la vida pasan cosas muy raras!

Pauta pedagógica en p. 247.

El novio de mamá

A Laura no le molestaba que su mamá se hubiera echado novio. Lo que le molestaba —y no entendía— era que se hubiese buscado a alguien tan pesado como Román.

Todo lo que hacía Román la ponía nerviosa. Para empezar, le irritaba su manera de llamar a la puerta cuando venía de visita. En lugar de pulsar el timbre, como todo el mundo, golpeaba suavemente con los nudillos.

Entonces, la mamá de Laura corría en zapatillas a abrir. Antes de entrar, Román asomaba su cabeza rizada por la puerta y decía:

—¿Molesto?

¡Cada vez lo mismo! Laura no soportaba su manera sigilosa de andar por la casa, como si fuera un ladrón, ni el esmero con el que secaba los cubiertos después de lavar los platos.

Pero lo que la ponía absolutamente furiosa era que Román le trajera regalos y le preguntara cosas del cole.

«¿Quién se ha creído que es? —se decía—. ¿Es que no se ha dado cuenta de que ya tengo un papá?»

Laura no aceptaba sus regalos, ni siquiera los desenvolvía. Tampoco le dirigía la palabra, o si lo hacía, era para espantarlo con un...

—¡Déjame en paz!

Y Román se encogía, blanco del susto, mientras la mamá de Laura suspiraba desesperada.

Cuando Román se quedaba en casa más de dos horas, Laura le hacía las mil y una para que se

marchara. Sin que mamá se diera cuenta, le echaba azúcar en la sopa y sal en el café, o le mojaba el encendedor para que no pudiera encender el cigarrillo de después de comer, aunque lo intentara veinte veces.

—¿Te traigo fuego, Román? —le decía la madre.

—No es necesario, vida. De hecho, quiero dejar de fumar.

Y miraba fijamente a Laura, como si le dijera: «¿Qué te he hecho yo? ¿No ves que quiero ser amigo tuyo?»

Laura le giraba la cara porque no quería ser amiga suya por nada del mundo: él era el culpable de que su papá no estuviera en casa. Aunque la verdad era que primero se había ido papá, y Román llegó mucho después... En cualquier caso, ¡no necesitaba otro papá porque ya tenía uno!

Y entonces llegó la catástrofe.

Un domingo que Román había venido de visita, sonó el teléfono y avisaron a mamá de que una compañera de trabajo había tenido un accidente de moto.

—Salgo ahora mismo hacia el hospital —anunció.

—Te llevaré en coche —dijo Román—. Laura puede acompañarnos si...

—Es mejor que no venga —respondió la mamá—. Urgencias no es un lugar para que una niña pase el domingo. ¿Puedes quedarte un rato con ella? No tardaré.

Laura se llenó los pulmones de aire para lanzar un «NO» monstruoso, el «NO» más largo que hubiera gritado en su vida. Pero no tuvo tiempo porque, en un periquete, su mamá se puso el abrigo, tomó el bolso y salió de casa como un rayo.

Román y la niña se quedaron unos segundos en silencio, cara a cara. Laura ya estaba pensando en una trastada bien gorda para hacerlo huir de casa. No soportaba la idea de pasar la tarde con él, que le hacía una pregunta tras otra. Pero, para su sorpresa, Román dijo esta vez:

—Busca algo para divertirte sin causar estropicios. No te pienso molestar.

Y, acto seguido, abrió el periódico y se puso a leer con la mirada triste. Laura hizo ver que jugaba mientras lo espiaba de reojo y se hacía muchas preguntas: ¿A qué venía ese cambio de humor? ¿Por qué estaba tan callado y parecía tan triste? ¿Tal vez la mujer del accidente era amiga suya?

Tras diez minutos de incómodo silencio, Laura le preguntó:

—¿Sabes quién es ella?

—¿Cómo? —contestó Román sin entender, mientras levantaba la vista del periódico.

—La mujer que está en el hospital. ¿La conoces?

—No. Ni siquiera sé quién es.

—Entonces, ¿por qué te has puesto tan triste?

—Perdí a mi esposa en un accidente de moto, fue poco después de casarme. Espero que la amiga de tu madre haya tenido más suerte.

Y volvió el silencio. Laura sintió que le brotaban las lágrimas, pero logró contenerlas con gran esfuerzo.

«Eso explica muchas cosas —se dijo—. Román está solo en el mundo. Mamá también esta sola, porque papá ya no vive en casa y casi siempre está viajando. Cuando dos solos se encuentran, supongo que se forma una pareja.»

Todo esto lo pensó sin decir nada a Román, que ahora miraba hacia la ventana. Había empezado a llover. Entonces Laura tuvo una idea para pasar la tarde. Le propuso:

—¿Y si hiciéramos juntos la sopa de letras?

Pauta pedagógica en p. 248.

El pelotazo

Martín decidió que nunca más iría a la escuela.

En El curso había empezado bastante bien, aunque el capitán del equipo de balonmano le miraba raro desde el primer día que entró en clase. Se llamaba Sebas y era un gigante. Siempre hablaba con voz fuerte y escandalosa. Martín era el más bajito de la clase y cada vez que pasaba junto a su pu-

pitre, notaba esa mirada que no presagiaba nada bueno.

La confirmación le llegó un viernes a la hora del recreo, mientras el equipo de balonmano —del que no formaba parte— jugaba un partido contra la clase rival.

Martín estaba sentado en los escalones cuando la pequeña y dura pelota de balonmano le impactó en la cara con la fuerza de diez bofetones.

Tras el pelotazo, sintió que el moflete izquierdo se le hinchaba como un globo mientras le pitaban los oídos. Aturdido, Martín miró hacia el campo de juego y sus ojos se encontraron con los de Se-

bas. Su mirada era cruel y persistente. Martín entendió que había dirigido ese cañonazo adrede, y eso era sólo el principio de una guerra que se libraría recreo a recreo.

Martín estuvo muy asustado todo el fin de semana y pensó cómo podía escapar de Sebas y sus pelotazos.

Como el lunes por la mañana aún no se le había ocurrido nada, fingió que tenía horribles dolores de barriga. Cuando su padre vino a despertarle, hizo mucho teatro, pero no tanto como para que viniera un médico.

—Tal vez no te ha sentado bien la cena de ayer —dijo su padre mientras lo dejaba dormir—. Tendremos que comer más sano a partir de ahora.

El martes, Martín dijo que tenía dolor de cabeza y tampoco salió de la cama.

—Quizá esté incubando una gripe —dijo la madre.

Y esta vez no se libró de la visita del médico, un viejo cascarrabias que llegó al cabo de una hora con su maletín de piel negra. Le auscultó el pecho, le puso el termómetro, le tomó el pulso y luego se quedó mirándole con los brazos cruzados.

—¿Qué es lo que tiene, doctor? —preguntaron inquietos el padre y la madre.

—Yo se lo diré: ¡lo que tiene este niño es mucho cuento!

Y se fue maldiciendo con su maletín.

Martín recibió una bronca de campeonato y estuvo el resto del día haciendo deberes para recuperar las clases perdidas.

El miércoles por la mañana se encontró perfectamente vestido y equipado en la puerta de casa, aunque tenía un plan B para escaparse de Sebas. Haría ver que iba a la escuela, pero se escondería en un parque cercano.

Ése era el plan, pero nunca pudo llevarlo a cabo porque su padre decidió acompañarle. Y no le dejó hasta que Martín atravesó la puerta de la escuela, como un ternero que va al matadero.

Martín fue incapaz de concentrarse en la clase de la mañana, porque notaba la mirada fría y penetrante de Sebas. En toda la hora no le quitó los ojos de encima.

Cuando sonó el timbre del recreo, Martín salió de clase antes que nadie. Pensaba esconderse en los lavabos del patio y no salir de ahí hasta que volviera a sonar el timbre.

Pero no andaba solo. Una sombra gigantesca le reveló que Sebas le seguía los pasos a escasa distancia.

Al llegar al patio, quiso echar a correr, pero el grandullón le detuvo con su manaza que, como si

fuera un garfio, le agarraba el hombro. En la otra mano sostenía la pelota. Dijo:

—Vamos a hablar tú y yo.

—¿De qué? —preguntó Martín, temblando.

—Perdóname por el pelotazo del otro día. Se me fue el tiro. Lo que me extraña es que ni siquiera lloraste. ¡Yo me hubiera desmayado si me dan un golpe así!

—¿De verdad? —dijo Martín.

—¡Ya lo creo! ¿Sabes? Desde entonces pienso que podrías ser un buen defensa para nuestro equipo. ¿Quieres entrar?

Lleno de orgullo, Martín aceptó el reto y defendió como un león el área de portería. Su equipo venció a la clase rival, después de dos semanas sin haberlo conseguido. Todos atribuyeron el triunfo al nuevo fichaje, que no daba una bola por perdida.

Desde entonces, en los recreos, Martín se divierte de lo lindo... ¡a pelotazo limpio!

Pauta pedagógica en p. 249.

¡Qué peligro tiene esta niña!

Siempre que sus papás estaban fuera de casa, Corina lo pasaba fatal porque pensaba que no iban a volver. Se imaginaba que la abandonarían para siempre y que ya no tendría a nadie que la protegiera. ¿Cómo se las arreglaría si se quedaba sola en el mundo?

Normalmente la dejaban con una canguro muy divertida, que organizaba muchos juegos y le contaba cuentos para que la niña no se preocupara. Aun así, Corina miraba el reloj a menudo, y cada hora que pasaba se asustaba más porque estaba segura de que esta vez sí que no regresarían.

Cuando cumplió diez años, los padres pensaron que ya no necesitaba nadie que la vigilara, dado que ya era mayorcita y tenía que aprender a valerse por sí misma.

Una tarde que habían salido a visitar a una tía que vivía al otro lado de la ciudad, Corina empezó a angustiarse al ver que tardaban más de la cuenta. ¿Y si les había pasado algo? Tal vez habían tenido un accidente, o los habían secuestrado, o se

habían quedado encerrados en el ascensor de la tía y no lograban salir.

Estos pensamientos hicieron que Corina se preocupara tanto que acabó saliendo de casa en su busca, olvidando que tenía prohibido andar sola por la ciudad.

Sabía que la casa de su tía estaba al otro lado del parque, así que siguió todo recto por una calle que llevaba hasta allí.

Tan concentrada estaba en seguir el camino que pasó junto a un banco que estaba siendo atracado sin darse cuenta. Tampoco vio cómo un piano que subían con una polea cayó repentinamente y se rompió en mil pedazos.

Pensó que era un trueno —eso sí, bastante musical— que anunciaba lluvia. Por lo tanto, apretó el paso para llegar a casa de su tía sin mojarse.

Mientras atravesaba el parque, vio correr a tres policías y pensó que iban a los lavabos a hacer

pis. En realidad perseguían a media docena de perros rabiosos que se habían escapado de la perrera, pero Corina nunca lo supo.

En la calle de su tía, un camión cargado de gasolina estuvo a punto de estrellarse contra una farola. Pero Corina tampoco se enteró, porque ya subía las escaleras del bloque cantando de alegría. ¡Estaba tan feliz de volver con sus padres!

Al abrir la puerta, su tía no podía creer que estuviera allí:

—Pero... ¡Corina! ¿Qué haces aquí? Tus padres están volviendo a casa y ¡se preocuparán mucho si no te encuentran!

La tía se puso el abrigo de inmediato y llevó a su sobrina de la mano hasta el parking. Mientras la llevaba en coche hasta casa, Corina contó a la tía que siempre tenía miedo cuando sus padres no estaban y que por eso había salido en su busca.

—No debes preocuparte tanto por tus papás —le respondió—. Saben cuidarse solos.

Cuando llegaron a casa, Corina encontró a sus padres llorando de desesperación. Al ver entrar a su hija sana y salva, la estrujaron de tanto abrazarla y le pidieron que no lo volviera a hacer.

—¡Hemos pasado tanto miedo! —dijo la madre.

—¿Miedo de qué? —se sorprendió Corina—. Simplemente me aburría sola y he salido a buscaros.

—¡Pero la calle es muy peligrosa! —gritó el padre—. Los periódicos traen cada día noticias de las cosas terribles que pasan.

—Pues yo no he visto nada raro —dijo Corina.

—Os voy a contar una historia, así que prestad atención —intervino la tía.

Corina y sus padres se sentaron en el sofá dispuestos a escuchar lo que la tía tenía que contarles. Empezó así:

—Había un campesino muy pobre y desgraciado al que todo le salía mal. Eso sí, tenía un don para predecir sus propias catástrofes. Decía por ejemplo: «Esta noche va a helar y perderé la cosecha de lechugas», y se quedaba tan preocupado que olvidaba protegerlas con una cubierta de plástico. Y, efectivamente, al día siguiente las plantas amanecían mustias y llenas de escarcha.

Otro día decía: «Tengo miedo de dejar la finca sola porque corren muchos ladrones por aquí», y antes de salir al mercado cerraba la puerta con diez candados diferentes. Los ladrones, al ver tanto candado, pensaron que el campesino ocultaba tesoros y reventaron una ventana para entrar a desvalijar la casa.

Por último, el campesino fue invitado a un banquete donde comió sin parar. «Me va a sentar mal tanta comida», dijo mientras volvía de noche a casa. Estaba tan nervioso y preocupado que no logró hacer la digestión y murió de un empacho.

pesimismo

= mala suerte

—¿Qué quieres decirnos con todo esto? —preguntaron los padres de Corina a dúo.

—Los problemas son como serpientes que acuden cuando las llamas. Si pensáis que pasarán cosas malas, es fácil que ocurran. No seáis como el campesino gafe: ¡ser pesimista trae mala suerte!

Pauta pedagógica en p. 250.

El planeta Viceversa

Estefanía no soportaba perder ni siquiera a las canicas. Por eso siempre hacía trampas.

En el juego del escondite, miraba de reojo dónde se ocultaban los demás para encontrarlos en un periquete. Cuando jugaba al fútbol, apartaba a los defensas a codazos para marcar un gol. Si iba perdiendo a las damas, hacía ver que estornudaba y todas las fichas saltaban por los aires. Entonces había que volver a empezar, si es que su compañero de juegos no pillaba una rabieta y se iba para no volver.

Estefanía hacía tantas trampas que llegó un momento en el que nadie quería jugar con ella. Tras pasar un sábado completamente sola, Estefanía se fue muy triste a la cama y se durmió.

Debía de llevar un par de horas de profundo sueño cuando una luz muy brillante iluminó la pared de la habitación y la despertó. Estefanía vio en el reloj que era medianoche. ¿De dónde venía aquella luz? Entonces miró hacia la ventana y lo descubrió: un platillo volante de color rosa estaba suspendido frente a su ventana mientras hacía parpadear luces naranjas y azules.

Estefanía contemplaba asombrada aquella nave que parecía de juguete cuando se abrió una compuerta, que descendió silenciosamente hasta apoyarse en su ventana.

Primero pensó que bajarían hombrecillos verdes como los de las películas y que la raptarían. Pero nadie se dignó a salir. Realmente, ¡no era su día!

De repente oyó que del interior del platillo surgía una música electrónica muy alegre, como de feria o de carrito de helados. Intrigada, Estefanía se subió a la ventana hasta la rampa y avanzó con cuidado hasta el interior de la nave.

Para su sorpresa, dentro no encontró marcianitos, sino una decena de niños y niñas como ella, que reían mucho y parecían estar pasándolo muy bien. Entonces la compuerta se cerró y el platillo se puso en marcha mientras la música alegre seguía sonando.

—¿Adónde vamos? —preguntó Estefanía a un niño pelirrojo con aspecto de travieso.

—Al planeta Viceversa —respondió.

—¿Viceversa? Nunca he oído ese nombre.

—Yo tampoco. Sólo sé que es un mundo donde todo es al revés.

Dicho esto volvió a sus juegos, y Estefanía comprobó que hacía trampas descaradamente.

Pero no sólo el pelirrojo, sino todos los niños y niñas de aquella nave jugaban a cartas, al parchís, al dominó con toda clase de trucos. Eso provocaba peleas y discusiones constantes.

«¡Es la nave de los tramposos!», se dijo Estefanía al comprenderlo de repente.

Por suerte no tardaron en llegar a Viceversa porque, de lo contrario, los tripulantes se habrían peleado a bofetones.

Todo el planeta parecía una gran feria: sonaba música alegre, se repartían caramelos y bombones gratis y se organizaban toda clase de juegos en los que miles de niños parecían estar pasándolo bomba. ¡Era el lugar más bonito que había visto en su vida!

Cuando los tramposos bajaron de la nave, se encontraron con una gran pancarta donde ponía «PERDER ES GANAR». Estefanía no entendía nada, hasta que una monitora les explicó que en Viceversa todo era al revés. Por lo tanto, los perdedores siempre eran los que se llevaban el premio.

Y ¡vaya premios! Había caballos de peluche que relinchaban y corrían como si fueran de verdad, platillos volantes de uso individual, trajes de astronauta de todos los colores... El grupo de los tramposos —a los que pertenecía Estefanía— entró en un campo de fútbol en el que los esperaban otros once jugadores. Como en todos los juegos de Viceversa, había premio: una preciosa moto sideral para cada uno de los... ¡perdedores!

¡perder es ganar!

El partido empezó y los jugadores rivales empezaron a pasarse la pelota por pura diversión, sin preocuparse por defender la portería. Una niña pequeña y robusta pasó el balón entre las piernas de Estefanía para que lo recogiera un compañero de equipo.

Furiosa por aquella jugada de habilidad, Estefanía apartó al jugador rival de un empujón y le quitó la pelota, a la que dio un chupinazo para mandarla fuera del campo.

Pero en Viceversa las cosas nunca suceden como uno espera. Cuando el balón volvió a bajar, tomó un extraño efecto —como si fuera un boomerang— y se metió en la portería contraria.

En los altavoces se cantó el gol con gran estruendo y los jugadores del equipo rival se abrazaron de alegría. ¡Habían perdido!

El árbitro pitó el final del partido y los tramposos vieron cómo los otros once se alejaban felices en sus motos siderales. Tras la sorpresa inicial, todos persiguieron a Estefanía por el campo para darle su merecido.

Estefanía se cayó de la cama y, todavía asustada, se dio cuenta de que había estado soñando.

Antes de volver a dormirse decidió algo importante: a partir de ahora perdería de vez en cuando. Así, la próxima vez que viajara a Viceversa se llevaría una de esas motos tan bonitas.

Tenía que entrenarse, porque como había comprobado... ¡perder no es tan fácil!

Pauta pedagógica en p. 252.

Los polvos de la risa

En el oriental reino de Palimbus hacía años que no se celebraba ninguna fiesta. Es más, el emperador había prohibido terminantemente cualquier expresión de alegría o regocijo. Un decreto colgado en el exterior del palacio advertía que todo aquel que fuera pillado in fraganti divirtiéndose sería encerrado en las mazmorras por siempre más.

Un invierno llegó un viejo mago a la plaza de palacio. Vestía una túnica de colores brillantes y esbozaba una tenue sonrisa. Esto le hizo sospechoso ante los soldados del emperador, que empezaron a seguirle con sigilo.

Al principio, el mago se limitó a vagar por la ciudad, donde niños, hombres y mujeres le miraban con temor. Los soldados no lo dejaban ni a sol ni a sombra. Por eso, cuando el anciano se sentó en un banco del parque real a descansar, se apostaron tras los árboles para tenerlo vigilado.

El viejo mago miró las cabecitas expectantes de los soldados: unos parecían asustados, otros mostraban su furia y las ganas de apresarle, el resto se limitaba a mirar con expresión grave.

Tras contemplar la escena con gran calma, el anciano de la túnica dijo:

—Estas caras tan serias me dan mucha risa.

Y acto seguido estalló en una formidable carcajada que se dejó oír por toda la ciudad. Los súbditos se encerraron aterrorizados en sus casas. Tenían miedo de que les culparan de la risa o, lo que es peor, que se contagiaran y acabaran en la mazmorra, como iba a pasar con el viejo mago. ¿No dicen que la risa es contagiosa?

Mientras tanto, los soldados se llevaron preso al anciano. Sin preocuparse lo más mínimo, el mago no sólo no se resistía, sino que les acompañaba riendo y batiendo palmas.

—¿Te has vuelto loco? —le preguntó el capitán de los soldados—. ¿No te das cuenta de que vas a pasar el resto de tu vida encerrado?

—Tal vez sea así —dijo el mago con lágrimas en los ojos—, pero no he podido evitarlo. Mientras me vigilabais en el parque, he abierto un saquito con polvos de la risa y...

El mago no pudo continuar porque tuvo que dar paso a una nueva carcajada, más fuerte aún que la primera.

—Estos polvos de la risa... —preguntó alarmado el capitán— ¿dónde los tienes?

—¡Eso es lo más divertido de todo! —dijo el mago—. Pues ya no los tengo. Había abierto el saquito para comprobar que seguían ahí cuando una ráfaga de viento se ha llevado los polvos y el saco. Ahora están por todas partes.

La noticia hizo cundir el pánico entre los soldados. Empezaron a ponerse rojos porque notaban cómo el polvo de la risa les había entrado por la nariz y no podían permitirse reír.

Al llegar a las puertas de la mazmorra, uno de los soldados no pudo resistir más y liberó una tremenda carcajada que retumbó en toda la plaza. Acto seguido, los demás se dieron por vencidos y se pusieron a reír también. Al final incluso el capitán sucumbió a la risa.

El escándalo que provocaban aquellos veinte hombretones y el mago fue tal que el emperador salió furioso de palacio para administrar el castigo personalmente.

La población se ocultaba en sus casas, porque se había corrido la voz de que había polvos de la risa en el aire y nadie estaba a salvo.

Sin embargo, el emperador —que estaba bastante sordo— aún no se había enterado de lo que pasaba.

—¡¿Cómo os atrevéis a reír en mi real presencia?! ¿Queréis que os mande cortar la cabeza?

—Por supuesto que no, mi emperador —dijo el capitán entre una carcajada y la siguiente—. Lo que sucede es que este mago ha perdido un saquito con polvos de la risa y ahora el viento los agita por toda la ciudad.

—Entonces estamos perdidos... ¿Cuánto dura el efecto de los polvos? —preguntó el emperador al viejo mago.

—Unos quinientos años más o menos, señor.

—¿Quinientos? —repitió el emperador, y acto

seguido estalló en una real carcajada que se dejó oír por todo el reino.

«Si el emperador se ríe a sus anchas —pensaron los súbditos—, es que reír no debe de ser tan malo», y salieron de sus casas a compartir su alegría. Todo el mundo en Palimbus reía y se abrazaba, y el propio emperador decretó que aquel día sería festivo hasta que cayeran rendidos de tanto reír.

El viejo mago fue nombrado consejero real y vivió en palacio el resto de sus días. Por cierto: nunca se encontró el famoso saquito de los polvos.

Pauta pedagógica en p. 253.

Las cosechas

Desde que sus padres habían dejado el campo para trasladarse a la ciudad, el rendimiento escolar de Paula había caído en picado.

Paula se sentía triste porque echaba de menos a los vecinos de su pueblo, que la saludaban con la mano cuando iba a la escuela: una bonita casa azul rodeada de árboles frutales. También echaba de menos a sus compañeros, hijos de granjeros o agricultores como sus padres.

Allí tenía un montón de amigos con los que iba a jugar al río cuando terminaban las clases. Si hacía buen tiempo, se tumbaban al sol a hacer los deberes.

Hasta que un día sus padres anunciaron a Paula que se mudaban a la ciudad porque el campo apenas daba para vivir —tenían muchas deudas— y les habían ofrecido trabajo en una fábrica.

Paula y sus padres vivían ahora en un apartamento pequeño como una caja de cerillas, o al menos eso le parecía a ella. Desde la ventana de su habitación no veía campos de trigo, como antes, sino el muro de un bloque de pisos tan tristes como el suyo.

En la ciudad todo era gris, incluso las paredes de la escuela, y Paula se pasaba las tardes viajando con los ojos cerrados a su querido pueblo. Soñaba tanto despierta que se le hacía la hora de cenar sin que hubiera empezado los deberes.

De todos modos, sus padres volvían tan cansados de la fábrica que no se daban cuenta.

Antes encendían la chimenea y asaban patatas y salchichas mientras comentaban alegremente las anécdotas del día al calor del fuego.

Ahora encendían el televisor.

En la escuela, algunos niños se reían de Paula porque decían que tenía acento de campesina y que olía a estiércol de vaca. Ella no les hacía caso y empezó a soñar también en horas de clase. Vola-

ba con su imaginación a su antigua escuela, al pajar de su vecino, al trigal, al campo de fútbol del pueblo donde a veces se celebraban fiestas.

«¿Qué deben de estar haciendo ahora mis amigos?», se preguntaba.

El problema llegó cuando, al acabar el trimestre, Paula recibió las notas en un sobre para que las firmaran los padres. Menos gimnasia y plástica, ¡había suspendido todas las asignaturas!

Mientras volvía a casa en metro, Paula empezó a angustiarse pensando qué dirían sus padres. Ya en el ascensor de su bloque, le temblaban las piernas y tenía ganas de llorar.

Aquel día su padre había tenido turno de mañana y la esperaba viendo la televisión. Su madre no tardaría en llegar.

Paula esperó a que estuvieran los dos —no quería pasar por el mal trago dos veces— para dejar el sobre de las notas encima de la mesa.

Su padre lo abrió con cuidado y extrajo la hoja de calificaciones. Mientras leía, sus cejas se arquearon de pura sorpresa —Paula siempre había sido buena estudiante— y luego tosió. Después le pasó la hoja a su madre, que se puso las gafas de leer. Sin decir nada más, firmó la hoja y la volvió a poner dentro del sobre.

Llena de asombro, Paula lo volvió a guardar en su cartera y exclamó:

—¿No me regañáis por las malas notas?

Su padre, que tenía siempre respuesta para todo, dijo:

—¿Se enfada uno con el campo cuando el invierno es duro y da poca cosecha?

Dicho esto, siguió viendo las noticias con una sonrisa en los labios.

Paula no acababa de entender a qué se refería su padre, así que se lo preguntó a su madre cuando le llevó a la cama —como cada noche— un vaso de leche caliente.

—Tu padre quiere decir que ha sido difícil para todos cambiar el pueblo por la ciudad. Eso es lo que él entiende por un invierno duro.

—¿Y ahora qué hago? —preguntó Paula antes de dormirse.

—¿Qué hace el agricultor después de una mala cosecha? —preguntó la madre dulcemente.

—Vuelve a sembrar y espera que la siguiente sea mejor —respondió Paula.

—Pues eso mismo vas a hacer. No te preocupes: tú sigue trabajando y mejorarás.

Su madre tenía razón: el segundo trimestre mejoró, pero poquito. Paula había suspendido todas las asignaturas... menos tres. Roja de vergüenza, volvió a dejar el sobre encima de la mesa para que sus padres firmaran las notas. Esta vez fue su madre quien lo abrió y, sin perder la calma, pasó luego la hoja de calificaciones a su padre. Éste sonrió y dijo:

—Veo un excelente en gimnasia y plástica, además de un aprobado en inglés. Felicidades.

—¡Pero el resto son suspensos! —dijo Paula, que no entendía tanto optimismo.

—Si esperas diez quintales de trigo y sólo obtienes tres, eso no quiere decir que el trigo no sea bueno.

—¿Qué quieres decir, papá?

—Tal vez nunca seas una experta matemáti-
ca, pero puedes ganar una maratón por ejemplo.

—¿Qué tiene que ver una carrera con las matemáticas? —preguntó Paula.

—Nada. Eso es lo que quiero que entiendas.
Siempre seremos mejores en unas cosas que en
otras. Por eso no hay que preocuparse.

Paula besó a sus padres y se fue a la cama
tranquila, pero se prometió que el siguiente trimestre
su campo de trigo daría todos los quintales del mundo. Para conseguirlo, soñó menos y trabajó más.

Al principio le costaba mantener la atención
en clase y terminar los trabajos pero, como decía su
madre, ¡todo es cuestión de acostumbrarse!

Al acabar el tercer trimestre, Paula volvió al
apartamento casi radiante. Lo de «radiante» era por-

que había sacado muy buenas notas por primera vez desde que estaba en la ciudad. El «casi» se debía a que tenía un suspenso. Esas matemáticas...

Sus padres saltaron de alegría al ver el progreso de Paula y ni siquiera mencionaron la nota de matemáticas. Esa noche salieron a cenar a un restaurante porque había otra buena noticia: habían ahorrado suficiente dinero para pagar las deudas y volverían al pueblo.

Paula se acostó con la panza llena de pizza y el corazón lleno de sueños. Aquel curso había aprendido algo muy importante: ¡no sólo hay cosechas en el campo!

Pauta pedagógica en p. 255.

Tic-Tic

Érase una vez un país muy lejano en el que sus habitantes estaban bajo el hechizo de un brujo. Éste había querido casarse con la hija del rey, la bella Amelia, pero ella le había rechazado porque era muy viejo y no estaba enamorada de él. Además, Amelia había prometido a su padre que sólo se casaría con aquel joven que demostrara merecer su reino.

Muy enfadado, el brujo lanzó un hechizo a todo el país, que quedó preso de un molesto tic. A partir de aquel día, todos los habitantes movían la cabeza de izquierda a derecha y de derecha a izquierda, como si dijeran que no todo el tiempo. Ya

115

que la princesa le había negado su amor, todos sus súbditos —y ella misma— estaban condenados a decir que no hasta el fin de sus días.

Un explorador que pasó por allí y observó este fenómeno bautizó el reino como el País de Tic-Tic.

Leonardo, un apuesto y listo joven que había oído esa historia, decidió un verano buscar este lugar. Curioso por naturaleza, quería comprobar si era cierto lo que se contaba.

Cargó en las alforjas de su caballo dos panes grandes, un queso entero y un botijo lleno de agua. Luego se puso en camino siguiendo las indicaciones que le daba la gente del camino.

—¿Queda muy lejos el País de Tic-Tic? —preguntó.

—Detrás de aquella colina morada —le dijo un pastor de ovejas.

Leonardo cabalgó hasta lo alto de la colina y luego descendió por un bello campo de almendros en flor. Al fondo, divisó una apacible ciudad con casas de piedra a la orilla del río. También había un pequeño castillo de doradas almenas, donde una cigüeña había construido su nido.

El joven caballero pensó que éste era un bello lugar y quiso saber si se trataba del reino del que había oído hablar. Se acercó al galope y preguntó a un viejo herrero, que en aquel momento golpeaba una herradura con su martillo:

—¿Es éste el País de Tic-Tic?

El herrero dijo que no con la cabeza y siguió trabajando con expresión triste.

«Es extraño —se dijo Leonardo—, no debe de estar muy lejos de aquí, puesto que me han dicho que lo encontraría detrás de la colina.»

El caballero siguió preguntando a las gentes que trabajaban delante de las casas o en los campos, pero todo el mundo le daba la misma respuesta. De hecho, nadie le había hablado. Se limitaban a negar con la cabeza y continuaban trabajando.

Finalmente llamó al castillo para pedir indicaciones y le abrió un anciano que, antes de que preguntara nada, ya estaba diciendo que no.

Leonardo comprendió entonces que había llegado al País de Tic-Tic y preguntó muy cortésmente al rey si podía ver a su hija. Éste movió la cabeza negativamente, pero al mismo tiempo le señaló una escalinata de mármol que conducía a las habitaciones.

Tras atar su caballo, Leonardo subió las escaleras hasta los aposentos de Amelia, una esbelta joven de cabellos dorados y ojos color de miel. El caballero sintió que la flecha de Cupido atravesaba su corazón por primera vez en su vida.

En aquel momento, la princesa estaba leyendo junto a un amplio ventanal. Como no podía evitar mover la cabeza, como todos sus súbditos, tenía que desplazar el libro de izquierda a derecha y de derecha a izquierda para seguir la lectura.

Leonardo se arrodilló junto a su regazo y dijo:

—Mi bella señora, os ruego me digáis quién ha sumido vuestro reino en tal desgracia y qué puedo hacer para liberaros de ella.

La princesa, que estaba muy triste, apartó la mirada del libro y mientras movía la cabeza dijo:

—Es un brujo muy poderoso que habita en un viejo molino al final de este valle. Los sabios de aquí dicen que para romper el hechizo habría que hacerle decir «NO». Entonces sería él quien negaría todo el tiempo y nosotros volveríamos a ser como antes.

—Eso parece fácil —dijo Leonardo, dispuesto a ir en su busca.

—Has dicho bien: parece fácil, pero el brujo lo sabe y evitará siempre decir esta palabra. Muchos lo han intentado, pero nadie lo ha conseguido.

Dicho esto, la princesa volvió a su agitada lectura. El caballero hizo una reverencia a modo de despedida y salió al galope, prometiendo vencer al brujo.

No le costó dar con el viejo molino, que se elevaba al fondo del valle entre una oscura arboleda. Leonardo golpeó la puerta y preguntó:

—¿Vive aquí la condesa de Pachulí, prima hermana de la esposa del nuevo alcalde?

El brujo abrió la puerta, divertido con la idea de que vinieran a retarle. Acostumbrado a esta clase de trucos, respondió:

—Se equivoca totalmente, joven. Aquí sólo vive este con quien está hablando.

Leonardo volvió al ataque:

—¿Sabe entonces dónde puedo encontrarla?

—Tal vez en la misma ciudad de donde viene.

—Así que vive allí... Pero, ¿está usted completamente seguro? —insistió Leonardo.

—¿Quién puede estar seguro de nada? —respondió el brujo perspicaz—. Insisto: ni lo sé ni me importa.

—¡Ha caído en la trampa! —exclamó el caballero—. Ha dicho que no lo sabe y que tampoco le importa.

—¡Yo NO he dicho eso! —se sulfuró el brujo—. He dicho exactamente...

Pero ahora sí que había caído en la trampa. Tras haber pronunciado aquel «NO», su cabeza empezó a moverse de lado a lado frenéticamente.

¡El reino había quedado liberado del tic del brujo!

Victorioso, el caballero fue aclamado por la población mientras se dirigía al castillo, donde el rey lo recibió como a un hijo.

Leonardo subió la escalinata de mármol y se postró a los pies de la princesa para pedirle que se casara con él. Por primera vez desde el hechizo, la bella Amelia dijo que sí y el reino entero lo celebró con una fiesta que duró siete días y siete noches.

Humillado y vencido, el brujo huyó del reino y se llevó su «NO» con él por siempre jamás.

Pauta pedagógica en p. 257.

La palabrota más gorda del mundo

Borja era un estudiante modélico que iba a la escuela más exclusiva de la ciudad. Siempre llevaba el uniforme impecable y la raya del pelo parecía hecha con regla. Olía a colonia de lavanda y hablaba tan educadamente que, más que un niño, parecía un ejecutivo que un mago bromista hubiera devuelto a la infancia.

La mayoría de niños y niñas de su escuela, la St. Tony's School, eran de su mismo estilo. Por la mañana, formaban fila con tanta disciplina que parecían un regimiento de soldados. Cuando entraba el maestro en clase, se ponían todos de pie y esperaban una señal para volverse a sentar.

Pero aquel mundo impecable, sereno, elegante, marcial... se estropeó el día en que una niña nueva, Alejandra, se incorporó al grupo. Era hija de un embajador y estaba acostumbrada a cambiar de país y de escuela cada vez que su papá era enviado a un nuevo destino.

Y con ella llegó la revolución.

Borja estuvo espiando de reojo a Alejandra durante toda la mañana porque parecía más lista que él. Por lo tanto, la «medalla al mérito escolar» que obtenía cada año peligraba.

Mientras pensaba qué haría para superarla, sucedió algo totalmente inesperado. Fue algo tan insólito que la profesora de audiovisuales casi cae

desmayada del susto. Estaban viendo un documental sobre el nuevo avión de Airbus, el más grande del mundo, cuando Alejandra no pudo contener su entusiasmo y exclamó:

—¡Esto es cachiporratudo!

Nadie sabía lo que significaba, pero todo el mundo entendió que era una palabrota muy gorda, más gorda que ninguna otra que se hubiera oído jamás en la St. Tony's School.

Una vez recuperada del susto, la profesora de audiovisuales hizo ver que no había oído nada y prosiguió la clase. Pero la palabreja había gustado y empezó a extenderse como la pólvora.

Los compañeros de Alejandra ya no decían: esto es correcto, magnífico, formidable... como correspondía a niños de su educación. Preferían decir...

—¡Cachiporratudo!

La nueva situación molestaba muchísimo a Borja porque, aunque podía volver a ganar la medalla al mérito escolar, Alejandra era ahora mucho más popular que él. ¡Y eso no lo podía permitir!

Lleno de furia, retó a la hija del embajador y al resto de la clase de esta manera:

—Quiero proponer un concurso —dijo en la hora de tenis—. El que diga la palabrota más gorda del mundo será el líder de la clase. ¿Aceptáis el reto?

directora

—¡Me parece requetebombaflipante! —exclamó Alejandra, y al decir esa palabrota se colocó en primera posición.

—Pues yo aún diré más —saltó Borja—: ¡Me parece extrasupermegacolosal!

El resto de la clase se unió al desafío, en el que se lanzaron palabras cada vez más gordas, aunque nadie supiera lo que significaban:

—¡Vecinalucinante! —gritaba uno.

—¡Mecachislamarbimbombam! —decía la otra.

El monitor de tenis huyó escandalizado al despacho de la directora, a la que informó de lo que estaba sucediendo.

—¡En mi vida he visto niños tan malhablados! —exclamaba el monitor—. ¡Esto es cachiporratudo!

Al decir esto, se puso rojo como un tomate. ¡Nunca hubiera imaginado que estas palabrejas fueran tan pegajosas! Ya se estaba disculpando e iba a salir del despacho cuando la directora de la escuela le detuvo.

—No se vaya, acaba de darme una idea magnífica, quiero decir ¡cachiporratuda!

Por la tarde tocaba clase de lengua y la directora dio instrucciones muy precisas al profesor, que tenía previsto dictar una redacción.

—Quien cometa una sola falta, suspende la redacción y la asignatura —advirtió antes de empezar el dictado.

Los niños y niñas de la St. Tony's School habían ganado competiciones de ortografía contra otras escuelas, así que nadie se puso nervioso ante este aviso. Entonces el profesor empezó:

—Javier es un plastiloide chuchurremeche que me altera la bilirrubina cada vez que se archicolumpia en clase como un antediluvialocado y...

Borja susurró esta pregunta a Alejandra, que se sentaba detrás de él:

—¿Cómo se escribe chuchurremeche?

—No estoy segura. Y tú... ¿sabes si antediluvialocado lleva hache?

Pronto la clase se llenó de susurros nerviosos, que el profesor hizo callar dando un golpe en la mesa.

—¿Alguna duda? —dijo, aguantando una risita.

Borja levantó la mano en nombre de sus compañeros.

—Profesor, como delegado de la clase, solicito que las palabras de su dictado estén en el diccionario.

—Estoy de acuerdo —dijo—, siempre que vosotros hagáis lo mismo al hablar.

En toda la clase se escuchó un suspiro de alivio y se pusieron de acuerdo en que ése era un buen pacto. Para zanjar el asunto, se decidió que aquella redacción era la palabrota más gorda del mundo. Por lo tanto, dieron el premio al profesor y nunca más volvieron a hablar así.

Pauta pedagógica en p. 259.

¡Qué grande eres!

Cuando era bebé, todo el mundo decía que Maeva era la niña más bonita que se hubiera visto nunca. Su pelo negro y sedoso hacía destacar todavía más unos ojos azules como el mar.

Para sorpresa de todos, un año antes de empezar la escuela, Maeva empezó a ganar peso. Cada vez que se miraba en el espejo le parecía que era

un globo que se iba hinchando. Tanto era así que tenía miedo de reventar.

«Un día explotaré —se decía—, y cuando vengan papá y mamá, sólo encontrarán el pellejo de lo que fue Maeva.»

Aparte de eso, su vida era alegre y divertida hasta que empezó el curso en la nueva escuela. En el parvulario iba con sus amigos del barrio, que la admiraban porque sabían que ella era la mejor para jugar a la pelota o encontrar lugares raros donde esconderse.

Sus nuevos compañeros no lo sabían y empezaron a hacerle bromas realmente «pesadas». Cuando Maeva llegaba a clase, imitaban el brami-

do de un elefante. En el comedor nadie se quería sentar con ella porque decían que la gordura se contagia si estás comiendo cerca.

Maeva no entendía estas cosas que hacían sus compañeros, pero como era una niña tranquila y educada se conformaba con que la dejaran en paz. A la hora del recreo, buscaba un rincón aislado y escuchaba su disco favorito con los auriculares.

El problema llegó cuando la maestra de gimnasia anunció que la clase pasaría un día en el campo para practicar deportes de aventura. Maeva odiaba la gimnasia porque se cansaba enseguida al correr y nunca conseguía subir por la cuerda. En el potro, lo máximo que lograba era darse un buen porrazo.

Por eso no le gustó nada saber que estaría todo el día intentando superar pruebas para que sus compañeros se rieran de ella.

—No te preocupes —le dijo su padre, pasándole el brazo por el hombro—, seguro que te divertirás. Además, un poco de aire fresco te sentará de maravilla.

Maeva no estaba muy convencida cuando subió al autocar, donde sus compañeros dejaron de cantar canciones alegres para lanzar al unísono un bramido de elefante.

Dos horas después estaban en un verde prado lleno de florecillas, bordeado por un riachuelo que descendía hacia un torrente. En la orilla había cinco piraguas preparadas para los veintiséis niños.

Entusiasmados ante la idea de navegar a remo, todos corrieron hacia las barcas, que ocuparon de cinco en cinco. Adivinad quién se quedó en tierra...

La maestra de gimnasia, que se había dado cuenta, tomó a Maeva de la mano y fue hacia la piragua más cercana. Una vez allí ordenó en voz alta que le hicieran sitio en la barca.

—¡No, que nos hundiremos! —gritó un niño pelirrojo que se las daba de capitán.

La maestra iba a regañarle por su mala actitud, cuando Maeva dijo:

—¡Que nadie se preocupe! En realidad, prefiero no subir a la barca porque me da mucho miedo el agua.

En verdad, ella no tenía miedo a nada, pero lo había dicho para no crear problemas.

Acto seguido, las cinco embarcaciones empezaron a hacer carreras por el río, y la del niño pelirrojo llevaba la delantera. Emocionada, Maeva empezó a correr por la orilla para no perderse ni un detalle de la regata.

Y entonces ocurrió algo imprevisto: en un tramo donde el río bajaba con más fuerza, la piragua que iba en cabeza perdió el control y empezó a ir a la deriva sin que sus ocupantes lograran enderezarla. Todos, incluso el pelirrojo capitán, empezaron

¡qué grande eres!

a gritar de miedo porque la barca corría y saltaba empujada por la corriente.

—¡Socorro! ¡Socorro! —gritaban—. ¡Vamos a volcar!

Antes de que eso sucediera, aprovechando que la piragua se había acercado a tierra, Maeva se agarró a la rama de un árbol y entró en el río. Con la mano libre agarró la piragua a su paso y logró pararla. Fue tal la sacudida que estuvo a punto de ser arrastrada ella misma por la barca, pero resistió.

Mientras Maeva hacía de puente entre el árbol y la piragua para que no se soltara, los cinco marineros lograron llevar la barca hasta la orilla a golpe de remo. Cuando lo consiguieron, su salvadora fue aplaudida y premiada con todo tipo de elogios.

Su valentía y fuerza hicieron que Maeva se convirtiera en la niña más popular de la clase. Desde ese día, ya nadie hizo el elefante cuando ella entraba, ni le dijeron más cosas desagradables.

En lugar de recordarle su gordura, todos le decían:

—Maeva, ¡qué grande eres!

Pauta pedagógica en p. 261.

Una semana horrible

Mientras era el único «peque» de la casa, Juanjo había sido un chico obediente que comía y dormía bien, sacaba buenas notas y ayudaba a sus padres. Pero el nacimiento de su hermanita Mila lo cambió todo.

Juanjo no soportaba que sus padres dedicaran toda su atención a aquella personita tan pequeña que sólo sabía llorar y mamar. «¡Y yo, qué!» se decía muy enfadado al ver cómo Mila obtenía toda la atención de sus papás y le dejaban de lado.

—¡Me he vuelto invisible! —gritaba furioso, y empezó a pensar qué podía hacer para que volvieran a tenerle en cuenta.

Podía escaparse de casa, pensó, así sus papás dejarían de mimar al bebé por un rato y se dedicarían a buscarlo. Pero no le pareció una buena idea, ya que tendría que encontrar un lugar para esconderse, pasaría hambre y frío y tal vez recibiera alguna tunda por parte de los niños del barrio.

No, ésa no era la mejor manera de recuperar la atención de sus padres. Tenía que pensar en otra cosa.

De repente, el domingo por la noche, Juanjo tuvo una idea tremenda para que la pequeña Mila dejara de ser el centro del mundo y él dejara de ser invisible.

«Voy a portarme mal —se dijo mientras se acurrucaba bajo la manta—, pero tan, tan mal que ¡van a saber quién soy yo!» Y se durmió decidido a cumplir su plan.

Lunes

Cuando su madre le despertó con un beso, como cada mañana, Juanjo dijo:

—Hoy no me da la gana de ir al cole, así que ¡déjame dormir!

Su madre, que no estaba acostumbrada a este tipo de respuestas, exclamó:

—Juanjo, ¿te encuentras bien?

—Pero ¿es que estás sorda? Lo digo y lo repito: hoy no pienso ir al cole. ¡Largo de mi habitación!

Los gritos de Juanjo hicieron que su hermanita Mila, que acababa de dormirse, interrumpiera el sueño y empezara a llorar desconsoladamente.

Mientras su mamá iba a atenderla, el padre de Juanjo entró en la habitación y le dijo:

—¿Se puede saber por qué gritas así? Has despertado a tu hermana. Además, ¿qué haces todavía en la cama? De aquí a diez minutos tienes que estar en el cole.

—Pues como no venga el cole hasta aquí, lo tienen claro. ¡Yo no me muevo de la cama!

—¿Cómo? —dijo el padre asombrado, pues nunca había visto a Juanjo comportarse de este modo.

Juanjo le lanzó la almohada a la cara y empezó a gritar que le dejara en paz, que él había decidido estar toda la mañana en la cama y nadie iba a impedírselo.

Esa mañana, Juanjo no fue a la escuela, pero su padre le llevó a la consulta del médico porque pensaba que no se encontraba bien. Allí tuvo que esperar dos horas y media hasta que le tocó visita y se aburrió como una ostra. Luego, el médico ordenó que le sacaran sangre. ¡Hubiera preferido estar en la escuela!

Fiel a su plan, el segundo día de la semana Juanjo había decidido que iría al cole. ¡No quería pasar otra mañana en una sala de espera con revistas aburridas para recibir luego un pinchazo! Esta vez se portaría mal a la hora del desayuno. Así dejaría de ser invisible por un rato y sus padres se ocuparían de él y no de la mocosa de Mila.

Juanjo se levantó a su hora antes de que le despertaran, se vistió solo y preparó sus cosas para ir a la escuela. Cuando lo tuvo todo a punto, salió al comedor, donde su padre acababa de servir el desayuno.

Al pasar junto a la cuna de Mila, le sacó la lengua e hizo un ruido muy feo. Luego se sentó en la mesa y miró lo que tenía delante: una taza de leche con cacao, tostadas y mermelada.

—Este desayuno es una porquería —dijo bien alto para que le oyeran.

—¿Cómo dices? —preguntó su madre, que no entendía las reacciones de Juanjo.

—Este chocolate en polvo es barato y a mí me gusta de marca. Tampoco comeré tostadas con mermelada. Quiero un churro gigante con azúcar por fuera y crema por dentro.

—Y yo quiero unas vacaciones en Hawai ahora mismo —dijo la madre irónica—. Pero ¿qué te has pensado? ¿Es que crees que esto es un restaurante y nosotros tus criados?

Enfurecido, Juanjo agarró el tazón de chocolate y lo tiró al suelo, donde se rompió en mil trozos y dejó el parquet perdido.

Luego se fue al cole sin desayunar y tuvo que aguantar hasta la hora de comer con un mordisco del bocadillo de su amigo.

Juanjo tenía previsto ese día aplicar su plan fuera de casa. Allí ya se había portado todo lo mal que sabía, pero seguían haciendo más caso a su hermanita. Sólo había conseguido un buen pinchazo y estar medio día con la panza vacía.

Mientras guardaba fila para entrar en clase, Juanjo se dijo: «Hoy la armo. La voy a hacer tan gorda que mamá tendrá que dejar a Mila en la cuna para venirme a buscar.»

A primera hora tocaba clase de dibujo. La maestra era una señora mayor muy amable que andaba un poco encorvada porque tenía problemas de espalda.

—Hoy vamos a trabajar con ceras de colores —dijo, repartiendo láminas y una caja de ceras para cada cuatro alumnos.

Los compañeros de Juanjo, que eran muy aplicados, empezaron a dibujar bonitos ramos de flores, castillos recubiertos de musgo, un campo de fútbol... Pero él dibujó una mujer fea y jorobada vestida igual que la maestra y con el mismo peinado.

Al acabar su trabajo, Juanjo enseñó el dibujo y toda la clase estalló en una carcajada. Pero no se reían de la maestra, a quien querían mucho, sino del artista que había hecho una lámina tan fea y torpe.

—Eres más bruto que un cerdo con diente de oro —le dijo una niña de clase que le gustaba mucho.

Jueves

El plan no estaba dando los resultados previstos: no sólo no habían venido a buscarle, sino que la maestra ni siquiera le había castigado. Se había limitado a apuntar un cero en su hoja de calificaciones.

Pero aquella tarde tocaba visitar a su tía Margarita —que quería conocer a Mila, ¡cómo no!— y eso sería una nueva oportunidad para portarse mal.

—No vengas si no quieres —le había dicho su padre, que temía alguna nueva trastada por parte de Juanjo.

Pero él insistió en ir, aunque estuvo todo el viaje en coche de morros, sin hablar con sus padres ni hacerle ninguna carantoña a su hermanita. ¡Ya

estaba bastante mimada para que encima él le diera más jabón!

Su tía Margarita les recibió entusiasmada y
empezó a besar y acariciar a Mila, mientras Juanjo
maquinaba qué gamberrada podía hacer. Cuando vio correr a *Chucho*, el perro salchicha de su tía,
tuvo una idea diabólica.

Mientras los tres mayores merendaban y ha-
blaban de lo maravillosa que era Mila, Juanjo se encerró en el lavabo con *Chucho* y lo tiñó con el tinte
lila que utilizaba Margarita para hacerse mechas.
Gruñó y ladró varias veces, pero al final logró con-
vertirlo en... ¡un perro salchicha lila!

Cuando Juanjo abrió la puerta y *Chucho* corrió hacia el comedor, todos se quedaron con la boca abierta. Antes de que los padres de Juanjo intentaran disculparse, la tía Margarita dijo:

—Muy bien... como veo que quieres ser peluquero canino, ahora te toca lavarlo en la bañera hasta devolverle su color natural. No te irás de aquí hasta que *Chucho* quede limpio y reluciente.

Lo que Juanjo no sabía era que el perro salchicha odiaba el agua tanto o más que un gato, así que el baño con agua caliente y un cepillo fue un festival de arañazos y ladridos con un par de mordiscos de regalo.

Al final, logró dejar a *Chucho* limpio y reluciente, pero en la pelea le había salpicado tantas veces que Juanjo salió del baño con el pelo y la ropa de color lila. Sus padres y tía Margarita no pudieron evitar troncharse de risa cuando lo vieron con esa pinta.

«Os acordaréis de mí», se prometió rabioso.

Viernes

El tinte del perro le había dado ideas, así que antes de ir a la escuela por última vez aquella semana, decidió dar el golpe definitivo.

Había decidido que cuando su padre saliera del parking, que estaba justo debajo de casa, él vaciaría sobre el nuevo coche familiar un bote de pintura para aviones en miniatura.

Para que no sospecharan que tramaba algo, Juanjo se despertó a su hora, se vistió y se tomó el desayuno. Cuando su padre salió para ir al trabajo, Mila y su mamá se retiraron a su habitación para dormir un rato más.

Era su ocasión. Juanjo abrió la ventana y esperó con el bote de pintura abierto —era de color oro— a que el coche de papá saliera del garaje. Cuando vio que el morro verde empezaba a asomar, lanzó la pintura dorada, que cubrió media luna del coche.

Pero, ¡ay!, que cuando el coche acabó de salir y se detuvo, vio que no era el de su papá. Tenía el mismo color, eso sí, pero era un modelo deportivo. Entonces se abrió la puerta y vio que el conductor era el señor Pacheco, el policía del barrio.

Le había visto y empezó a subir por las escaleras hecho una furia. Juanjo empezó a temblar mientras oía cómo llamaba a la puerta y su madre le abría. El policía la saludó y después fue directo hasta la habitación donde se había escondido. Tenía experiencia en eso.

—¿Qué prefieres —le preguntó—, acompañarme a comisaría o pagar el estropicio con tus ahorros?

Juanjo escogió la segunda opción y entregó al señor Pacheco el contenido de su hucha para que fuera al túnel de lavado. Realmente, ¡su plan no estaba funcionando como pensaba!

Sábado

Cuando llegó el fin de semana, Juanjo estaba agotado de hacer tantas gamberradas.

«¡Es muy cansado portarse mal!», pensaba.

Aun así, quería llevar su plan hasta el final. Se había propuesto dejar de ser invisible y lo estaba consiguiendo, pero... ¡a qué precio!

Como cada sábado al mediodía, fueron a comer a un restaurante italiano donde hacían unas pizzas riquísimas y unos macarrones gratinados que te chupas los dedos. Juanjo había decidido, por lo tanto, que haría alguna pequeña trastada para no pasar desapercibido y luego comería esos platos que tanto le gustaban.

La ocasión llegó cuando el camarero sirvió las bebidas: vino rosado para sus padres, un biberón de agua fresca para Mila y un vaso de gaseosa para él. Dispuesto a «dar la nota», Juanjo bebió de golpe medio vaso de gaseosa y, acto seguido, lanzó un formidable eructo que hizo girar a todos los clientes del restaurante.

—La comida ha terminado —anunció la madre—. Nos vamos a casa ahora mismo.

Y así fue como Juanjo no pudo probar la pizza, ni los macarrones gratinados y mucho menos el helado de pistacho del restaurante.

Domingo

Juanjo ya no sabía qué más hacer para llamar la atención, así que estuvo toda la mañana tumbado en el suelo de su habitación, pensando en nuevas gamberradas que le dieran protagonismo. Pero no se le ocurría nada.

Mientras estaba así, de repente oyó que su hermana Mila lloraba desconsoladamente.

«Ya está otra vez dando la lata», se dijo. Y se extrañó que siguiera llorando sin que papá ni mamá fueran a atenderla.

Sorprendido, Juanjo salió de su habitación y buscó a sus padres con la mirada. Luego supo que habían bajado un momento a dejar una vieja có-

moda en la calle, porque aquel domingo había re-
cogida de muebles.

Se acercó a la cuna para ver qué le pasaba al
bebé. Al ver asomar la cara de su hermano, la pequeña Mila dejó de llorar y empezó a balbucear alegremente mientras sonreía. Juanjo le acarició entonces el pelo, que era negro y muy suave, con lo que
ella se puso aún de mejor humor.

«Tal vez no esté tan mal eso de tener una hermana», se dijo mientras le hacía cosquillas y le daba
besos en la frente.

A partir de aquel día, Juanjo volvió a ser buen
chico y fueron una familia muy unida. ¡Era un alivio
no tener que portarse mal!

Pauta pedagógica en p. 263.

Niñato

Julio no entendía por qué no tenía amigos. Cuando salía de paseo con sus abuelos, veía a los niños que jugaban en el parque al pilla-pilla, intercambiaban cromos o se explicaban aventuras emocionantes.

¡Él también tenía cosas interesantes que contar! Lo que pasaba es que nadie quería escucharle. Cada vez que conocía a un niño nuevo, se presentaba así:

—Me llamo Julio, soy el primero de clase y mi papá tiene el coche más caro de todo el barrio. Cuando sea mayor, me comprará una moto acuática. Los demás, que vayan nadando. ¡Ah! Me olvidaba. Tengo una perra afgana que se llama *Linda* y ha ganado catorce premios de belleza.

¡NiÑato!

—¡Cállate ya, niñato! —le solían gritar, y no le dirigían más la palabra.

Julio no entendía por qué todos le llamaban así y no querían saber nada de él, con las buenas notas que sacaba y las cosas interesantes que tenía para contar.

—Eso es porque te tienen envidia —le decía su madre—. Déjalos, ellos se lo pierden.

En el taller de dibujo, donde iba dos tardes por semana, tampoco era demasiado popular. Julio llevaba siempre un plumier enorme y dorado con lápices de 48 colores distintos. Si un niño o una niña le pedía prestado un color, cerraba el plumier de golpe y decía:

—No, que me lo gastas.

El profesor de dibujo, que había observado muchas veces estas escenas, le dijo una tarde:

—Julio, ¿por qué no prestas los lápices a tus compañeros?

—¡Porque son unos caraduras! —gritó, imitando a su padre—. ¡Que se compren colores, si quieren pintar!

—Tú tienes más colores que nadie —le dijo el profesor—, pero no tienes amigos. ¿Qué prefieres tener: una caja de lápices intacta o un montón de amigos con los que divertirte?

—¡Puedo tener todos los amigos que quiera! —se enfadó—. ¡Mañana mismo lo demostraré!

Julio tenía un plan.

Al cabo de dos días, antes de ir a clase de dibujo, Julio abrió la caja fuerte infantil de su habitación y se llenó los bolsillos de monedas. Orgulloso de su magnífico plan, entró en la escuela con el plumier bajo el brazo y la cabeza muy alta.

—Ahí viene el niñato —comentaron dos hermanas gemelas al verle acercarse a ellas.

—Os propongo un trato —dijo Julio—. Os pagaré una moneda a cada una si os sentáis a mi lado y decís cosas bonitas sobre mis trabajos. Pero, ¡nada de tocar mis lápices!

—¡Hecho! —gritaron las gemelas al unísono mientras guardaban las monedas.

Durante la clase de dibujo, todos se morían de la risa porque una de las gemelas empezó a exclamar dramáticamente:

—¡Oh, Julio! ¡Pero qué soldados más chulos has dibujado!

Y la otra:

—¡Y vaya caballos! ¡Parece que van a salir al galope de la lámina de un momento a otro!

En realidad, Julio no tenía demasiado talento para el dibujo, pero estaba tan encantado con aquellos elogios que no se dio cuenta de que la clase entera se estaba riendo de él.

Al terminar la hora, el profesor le tomó aparte y le dijo:

—No tienen ningún valor los elogios que uno debe comprar, ¡por muy bonitos que sean!

—¡Puedo permitírmelo! —gritó Julio, imitando nuevamente a su padre.

—La admiración no se cuenta con monedas —dijo el profesor, que acababa de tener una gran idea—, sino por la longitud de los lápices.

—¿Cómo? Pero ¡qué está diciendo!

—Tú fíjate en los plumieres de los otros niños. Cuanto más admirados son, más cortos tienen sus lápices. En cambio, el que tiene lápices nuevos, ése no tiene amigos.

Julio se fue a casa avergonzado, porque sus lápices estaban casi tan nuevos como el primer día, ya que había intentado pintar muy suave para que no se gastaran. ¿Sería por eso que no tenía amigos?

En la siguiente clase, el profesor había colgado en la pared una enorme cartulina para que toda la clase dibujara un mural.

—Atención —dijo el profesor—. No quiero que se mezclen lápices de distintas marcas. El violeta debe ser igual en todo el mural, de manera que alguien debe abrir su plumier para que toda la clase pinte con sus lápices. ¿Quién se ofrece?

Veinte niños pintando con los lápices de un solo plumier era demasiado, así que nadie levantó el brazo excepto... Julio, que haciendo un gran esfuerzo, abrió el estuche dorado y ofreció sus colores.

Sorprendidos y admirados, todos le dieron las gracias por ceder sus lápices y pasaron juntos una hora estupenda pintando un precioso corazón de 48 colores. Cuando terminaron el mural, la clase

votó con la mano en alto quién se lo podía llevar a casa. Y el elegido fue... ¡Julio!

Aquella tarde, Julio se fue a casa lleno de orgullo. Volvía con los lápices cortos, pero tenía un corazón bajo el brazo.

Pauta pedagógica en p. 265.

Telerina

Valentina pasaba tantas horas frente al televisor que su hermano pequeño le había puesto el apodo de «Telerina», y así es como la llamaremos a partir de ahora.

Mientras su hermano montaba y desmontaba grúas con el mecano, trabajaba el barro y jugaba al parchís con sus amigos, Telerina se tragaba un programa tras otro. Veía tanto la «caja tonta» que se le habían puesto los ojos cuadrados como dos televisores.

Sus padres estaban todo el día fuera de casa, y la canguro no hacía otra cosa que hablar por teléfono con su novio. Por eso Telerina estaba siempre frente a la pantalla hasta que una noche...

Había sido una tarde como todas las demás: Telerina había hecho los deberes deprisa y mal para no perderse un programa que empezaba a las seis. Luego vio otro, y otro más, y otro... Después de que la canguro les diera la cena, ella y su hermano se retiraron a sus habitaciones.

Telerina tenía en su cuarto un televisor pequeñito, así que desde la cama vio un concurso, y luego una película, y luego un programa de estos en los que anuncian aparatos para hacer gimnasia.

Cuando abrió los ojos, a mitad de la noche, se dio cuenta de que se había dejado el televisor encendido. En aquel momento salía un genio azul que decía:

—Entra, mi niña.

Telerina iba a apagar el aparato con el mando a distancia, porque tenía mucho sueño, cuando el genio azul dijo:

—Es a ti a quien hablo, mi niña. ¿No quieres entrar?

Telerina se asustó muchísimo y preguntó:

—¿Entrar? ¿Adónde quieres que entre?

—En el televisor, mi niña —dijo el genio—. A partir de medianoche, los televisores están abiertos para que todos los niños puedan entrar. Yo me encargo de guiarlos. ¿No quieres conocer la tele desde dentro?

Telerina era una niña muy curiosa, así que salió de la cama y, vestida con pijama y zapatillas, se plantó frente a la pantalla.

—¿Y ahora qué hago? —le preguntó al genio azul.

—Salta dentro, mi niña.

Telerina metió primero la cabeza dentro del televisor. ¡Era verdad! ¡Se podía entrar! Luego tomó impulso y, obedeciendo al genio, saltó dentro del televisor como un delfín en su aro.

Entonces Telerina se encontró cayendo en un abismo frío y oscuro sin que sus gritos se pudieran oír. Intentaba gritar con todas sus fuerzas, pero alguien había quitado el sonido al televisor y todo estaba en silencio.

De repente, sintió que aterrizaba en algo blando. Justo entonces volvió el sonido —oyó muchos aplausos— y se encendió un foco sobre su cabeza. Telerina era la protagonista de... ¡un programa de circo! ¡Y había llegado justo en el número de los leones!

Una fiera gigantesca y peluda se acercaba a ella con pasos sigilosos mientras el público exclamaba...

—¡Ohhhhh!

Aunque Telerina iba vestida de domadora y tenía un látigo en la mano, de repente tuvo mucho mucho miedo y gritó:

—¡Por favor, genio, llévame a otro programa!

El león ya estaba a punto de saltar sobre la niña cuando el genio azul descendió de lo alto entre los aplausos del público que llenaba la carpa.

—¿Adónde quieres que te lleve? —preguntó a Telerina.

—No sé. A un programa sin fieras salvajes. Algo divertido.

—¿Te gusta el fútbol? —le preguntó el genio.

—Bueno, en realidad...

Pero Telerina no tuvo tiempo de decir nada

más porque, de repente, se encontró en un campo de fútbol en el que se entrenaba ante las cámaras un equipo de primera división.

La niña estaba en la portería con chándal y guantes enormes, justo cuando los jugadores ensayaban el tiro de penaltis. Antes de que empezara la tanda, el entrenador se acercó a Telerina y le dijo:

—Por cada tres penaltis que falles te haré correr diez vueltas seguidas al campo.

Dicho esto, el primer jugador chutó con tanta fuerza que el balonazo casi perforó la red. Por suerte, el gol había entrado por la derecha y Telerina estaba en el centro de la portería.

Cuando salió el segundo disparo, Telerina se tiró al suelo, protegiéndose la cabeza con las manos mientras el entrenador gritaba muy enfadado.

Antes de que chutaran por tercera vez y tuviera que dar diez vueltas al campo, Telerina exclamó:

—¡Por favor, genio, llévame a otro programa!

Entonces, el balón que se dirigía hacia ella como un misil se convirtió en el genio, que la tomó por los aires y le preguntó:

—Y ahora, ¿a qué programa quieres ir?

—Llévame a un sitio tranquilo, donde no suelten leones ni chuten penaltis.

—Así será —dijo el genio azul.

Y, de repente, Telerina se encontró descansando en lo que parecía una caja de madera. Aquello era... ¡un ataúd!

Telerina saltó fuera y vio que se hallaba en una gran sala de piedra, alumbrada por velas, en la que se celebraba un baile de vampiros.

Muerta de miedo, Telerina llamó al genio azul para que la salvara, y éste se la llevó volando por la ventana.

—¿A qué programa quieres ir, ahora? —le preguntó.

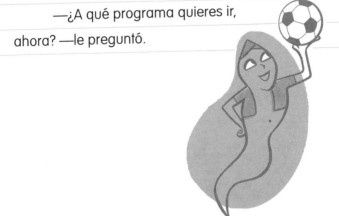

—Basta ya de programas —dijo la niña entre lágrimas—, quiero irme a casa.

—Como quieras —dijo el genio azul.

Sin entender cómo había llegado hasta allí, Telerina se encontró nuevamente en su cama. El televisor estaba encendido. ¿Había sido un sueño o realmente había viajado a esos programas?

Por si acaso, apagó el aparato con el mando a distancia y prometió darle unas largas, largas vacaciones.

A partir de ese día dejó de ser Telerina para ser Valentina, que hacía manualidades muy bonitas y jugaba con sus amigos. Y telerín, telerado, este cuento se ha acabado.

Pauta pedagógica en p. 267.

Chitimogo

El día en que la empollona de la escuela trajo a clase el Chitimogo, se armó un gran alboroto. Todos querían ver el juguete definitivo, el videojuego de moda en todo el mundo.

La afortunada enseñó a todos lo que parecía un teléfono móvil, pero de color dorado y con una gran pantalla de colores.

—¡Esto no es un videojuego! —gritó uno de los niños.

—¡Nos has tomado el pelo! —gritó la otra.

—¡Pero... si es un teléfono móvil! —protestó un tercero.

La dueña soltó una carcajada y dijo:

—Se nota que sois unos brutos que no sa-

béis nada de videojuegos chachis. ¡Sois unos anti-
cuados!

—Enséñanos entonces cómo funciona, si eres
tan lista —pidió Lucas, que miraba el aparato lleno
de curiosidad.

La empollona de la clase suspiró orgullosa
y dijo:

—El Chitimogo es la primera mascota digital
que obedece a la voz de su amo. ¿Queréis que os
lo demuestre?

Todas las cabezas se inclinaron sobre el monitor color azul oscuro, como una pequeña pecera
llena de agua. Entonces la niña gritó:

—¡Chitimogo! Ven a saludar a mis compañeros.

Un calamar fosforescente atravesó la pantalla, dejando burbujitas de colores a su paso, y se situó en el centro. Entonces empezó a saludar con uno de sus tentáculos.

—¡Qué guaaaaaay! —exclamaron todos al unísono.

Orgullosa de que admiraran su nuevo juguete, la empollona ordenó a su mascota:

—Chitimogo, cántales tu canción.

Acto seguido, el calamar fosforescente empezó a silbar una canción muy bonita, mientras se paseaba por la pantalla dejando un rastro de burbujitas.

—¡Oooooohhhhhh! —exclamaron todos los niños, y luego se fueron a casa muy tristes, porque la empollona de la clase tenía un Chitimogo y ellos no.

Al día siguiente, la empollona ya no era la única en tener la mascota digital. El niño ricachón de la clase traía uno propio. Todos se juntaron alrededor de los dos afortunados, que acercaron sus Chitimogos para que se conocieran.

—Chitimogo, quiero que silbes más fuerte que el de ella. ¡Vamos!

Muy obedientes, los dos calamares fosforescentes empezaron a competir entre sí a ver quién silbaba más fuerte, mientras soltaban burbujitas de colores.

El concurso de canto tuvo tanto éxito que al final de la semana no había ningún niño de la clase sin su mascota digital... excepto Lucas. Él era el único que no tenía un Chitimogo porque sus padres no estaban de acuerdo en gastar tanto dinero en un «cacharro estúpido».

—Tú tienes a *Plupi* —le decía su padre, mientras acariciaba al perro de la casa—, que mueve la cola sin pilas y es más listo que todos los Chitimogos juntos.

Lucas no estaba muy convencido de esto. Quería mucho a *Plupi*, pero le hubiera gustado te-

ner su propio Chitimogo para que le silbara canciones y compitiera con los de los niños de su clase.

Cuando Lucas se fue a acostar, *Plupi* se metió bajo las sábanas y empezó a lamerle los pies para hacerle reír. No le gustaba que su amo estuviera triste.

—¡Para ya, *Plupi*! —le gritó Lucas, enfadado—. Ve a dormir a tu cesta ahora mismo.

El perro hizo lo que su amo le ordenaba y se marchó, obediente, con el rabo entre las piernas.

Al lunes siguiente, cuando Lucas llegó a la escuela, supo que había pasado algo muy gordo. Durante el fin de semana, todos los Chitimogos se habían desconectado menos el del niño ricachón, que explicó la situación:

—Esto es porque se os ha agotado el crédito. Los Chitimogos son de alquiler y hay que ir pagando para tenerlos en la pantalla. Cuesta un céntimo cada cinco minutos.

—Un céntimo no es mucho —dijo la empollona, haciendo sus cálculos, y los demás estuvieron de acuerdo—. Voy a decir a mis papis que me pongan crédito para volver a jugar con mi mascota.

Un día después, los Chitimogos volvieron a nadar y silbar alegremente. Traían nuevas canciones, e incluso un juego de magia muy divertido en el que adivinaban la carta que habías pensado.

Lucas regresaba a casa con las manos en los bolsillos cuando pasó un grupo de niños con sus mascotas digitales y se rieron de él. Luego le gritaron:

—¡Pobretón!

Al llegar a casa estaba triste y enfadado, y *Plupi* le dio unos cuantos lametazos para animarlo. También trajo una pelota para que jugaran juntos, pero Lucas no estaba de humor y lo apartó de malas maneras.

A la mañana siguiente volvió el escándalo. Los Chitimogos se habían vuelto a desconectar, porque los niños habían jugado con ellos toda la noche hasta agotar el crédito.

—Claro —dijo el ricachón—, el alquiler del Chitimogo cuesta el doble en horario nocturno.

Y fue decir esto y su pantalla también se apagó, y por mucho que gritara, el calamar fosforescente se negó a volver.

A la hora del recreo, los niños telefonearon a sus padres, desesperados, para que pagaran más dinero a la empresa que fabricaba los Chitimogos. Todos, incluso el niño ricachón, obtuvieron un «¡NO!» por respuesta.

Enfadadísimo con sus padres y con el avaricioso Chitimogo, al terminar las clases, el ricachón tiró el aparato dorado al suelo y lo empezó a pisotear lleno de furia. Los otros niños y niñas le imitaron y pronto el patio se llenó de añicos dorados. Adiós Chitimogos.

—¿Y ahora qué hacemos? —dijo de repente la empollona.

—Yo tengo un perro que se llama *Plupi* y juega muy bien a la pelota —dijo Lucas tímidamente—. ¿Alguien quiere venir con nosotros al parque?

Unos más convencidos que otros, todos los niños acompañaron a Lucas a recoger a su perro, que saludó a cada uno con un lametón. Todos juntos pasaron una tarde genial jugando con *Plupi* a la pelota.

Al final del día ya nadie se acordaba de qué era un Chitimogo ni para qué servía.

Pauta pedagógica en p. 269.

¡Catacrac!

Hubo una vez un reino muy lejano en el que la gente vivía miles de años y se aburrían mucho, porque cuando vives miles de años es difícil jugar a algo nuevo.

Pero la que más se aburría en el reino era Rosaura, la bella hija del rey. Era una princesa muy jovencita, sólo tenía quinientos años, demasiado pronto para tener novio.

Cada año por su aniversario le llegaban centenares de regalos de todos los rincones del reino.

La habitación de Rosaura era grande como todo un palacio y tenía sitio de sobras para miles de juguetes. Pero había celebrado tantos cumpleaños —quinientos— que los regalos se acumulaban por todas partes y formaban montañas, cordilleras y volcanes.

Había todos los juguetes que uno pueda imaginar, pero eran tantos y estaban tan revueltos que Rosaura no sabía por dónde empezar. Además, tenía un problema añadido. Cada vez que daba un paso se oía...

«¡Catacrac!»

Porque no había lugar donde no hubiera un juguete, una muñeca o un frasco de perfume. Los regalos se rompían a cada paso de Rosaura...

«¡Catacrac!» «¡Catacrac!» «¡Catacrac!»

Incluso cuando se acostaba, encontraba juguetes encima y debajo del colchón, en la almohada y entre las mantas. Cada vez que Rosaura se movía para cambiar de posición, se oía...

«¡Catacrac!»

Y eso significaba otro juguete roto, lo cual le daba mucha rabia. Rosaura tenía muy buen corazón, y le sabía mal que sus súbditos gastaran en regalos que luego se rompían o desaparecían entre las montañas de cosas. Pero tampoco quería tirarlos, por miedo a herir sus sentimientos.

Un día en que Rosaura estaba recostada entre olas de muñecos de peluche, entró un joven criado y le dijo:

—Mi princesa, te veo triste esta mañana.

—Cierto —dijo—. Y lo estoy por dos cosas: no sé qué hacer con todo esto y me temo que va a ir a peor.

—¿Qué te hace pensar así, mi princesa?

—La semana que viene cumplo los quinientos uno —dijo Rosaura— y me lloverán más regalos de todas partes. ¡Ya no sé qué hacer con ellos! Por otra parte, no puedo impedir que celebren mi cumpleaños. Soy la hija del rey.

—Tengo una idea —dijo el criado—. Dile a tu padre que dicte dos nuevas leyes: una dirá que todos los habitantes del reino deberán tener cinco regalos en casa, ni uno más ni uno menos. Los que tengan menos, pasarán por palacio a recoger los

que les falten. La segunda ley dirá que este año cada súbdito llevará como regalo la semilla de una flor y la plantará en los campos que rodean palacio. Quedan prohibidos otro tipo de regalos.

Aunque le parecía un consejo un poco raro, Rosaura hizo caso al criado y pidió a su padre que hiciera correr la voz por el reino con las nuevas leyes. El rey, que adoraba a su hija, hizo lo que le pedía y mandó mensajeros en todas direcciones hasta que todo el reino quedó enterado.

Llegó el día de su quinientos un cumpleaños, y en la habitación de Rosaura se formó una larga fila de súbditos. Todos ellos habían plantado en los alrededores una semilla de flor como obsequio y venían a buscar cualquier cosa para completar los cinco regalos que debían tener en casa.

Rosaura se tapaba los oídos para no oír el continuo...

«¡Catacrac!» «¡Catacrac!» «¡Catacrac!»

Los súbditos pisaban muñecas cantarinas, soldaditos de cuerda y peonzas voladoras mientras se abrían paso entre las columnas de trastos que se amontonaban en la habitación. Como en el reino vivían personas sencillas, se llevaban lo primero que encontraban —más para cumplir la ley que por deseo propio— y se despedían de la princesa con una reverencia.

Cuando el último invitado hubo abandonado palacio, la habitación estaba tan limpia, brillante y despejada que podía organizarse un baile sin miedo a tropezar con nada. Rosaura podía pasearse a sus anchas sin oír ningún...

«¡Catacrac!»

Como eran muy obedientes y amables, sus súbditos sólo habían dejado cinco objetos en la habitación. Rosaura hizo inventario y vio que le quedaban dos muñecas, un frasco con piedras de colores, un cepillo musical y una pluma de tinta plateada.

Guardó todo en su sitio y se acostó. Estaba agotada por la fiesta, pero muy feliz de tener tanto espacio para ella.

Los días que siguieron llovió mucho, y Rosaura se quedó en palacio jugando con sus muñecas, cepillando su cabello al son de la música, haciendo laberintos de piedrecitas y decorando las paredes con estrellas plateadas.

Cuando terminaron las lluvias, una mañana, el joven criado preguntó a Rosaura si quería acompañarle en su caballo a ver algo maravilloso. La princesa aceptó intrigada, y los dos cabalgaron por un infinito campo de flores de todas las formas y colores imaginables.

Cuenta la leyenda que en ese paseo florido los dos se enamoraron, pero como todavía eran muy jóvenes tuvieron que esperar quinientos años más para casarse.

Mientras llegaba ese día, Rosaura bailó mucho en su habitación —sin romper nada— y vivió muy feliz con sólo cinco cosas, el aroma de las flores y el amor de su prometido.

Pauta pedagógica en p. 271.

El hijo de la astronauta

Aunque no tenía papá ni hermanos, la vida de Neno había sido cómoda y fácil hasta el día en que su mamá decidió hacerse astronauta.

Neno estaba muy pegado a las faldas de su madre, que le hacía todo aunque empezaba ya a ser mayorcito. Tras despertarle con un beso, mamá lo lavaba con jabones perfumados, lo vestía con ropa recién planchada, le daba su desayuno y le llevaba de la manita hasta la escuela.

Allí sus compañeros se reían de él, porque los niños y niñas de su curso ya iban solos a la escuela. Neno era el único que iba a todas partes con su mamá, que le recogía puntualmente cada tarde y le daba su merienda favorita.

—¡Ya se va el mimado! —comentaba todo el mundo cuando le veían andar con la cabeza muy alta y comiéndose la merienda.

Neno odiaba los cambios, y siempre que su mamá había intentado que hiciera algo solo, protestaba, lloraba y gritaba. Armaba tal bronca que al final se salía con la suya.

Su madre trabajaba como científica en un importante proyecto espacial, y desde el nacimiento de Neno se preparaba para ser astronauta.

—Mamá, no quiero que te vayas nunca a viajar por el espacio —le había dicho Neno cuando veían juntos documentales de astronautas.

Pero una mañana, después de despertarle, bañarle y vestirle, mamá explicó a Neno que su misión estaba a punto de partir. Estaría una semana fuera de casa, porque viajaría hasta una base espacial que había ayudado a diseñar.

Al oír la noticia, Neno empezó a llorar y gritar, porque tenía miedo de que su mamá no volviera del cielo. También su papá se había ido un fin de semana en viaje de negocios y no había vuelto más.

Al parecer, ahora vivía en otro país con otra mamá y un niño que no era él.

—¡Mamá, no me dejes aquí solo! —suplicó Neno la tarde que se marchaba.

—No te preocupes... —le dijo con dulzura—. Mientras esté fuera, Matías se ocupará de ti. Ya le he dejado instrucciones de todo lo que tiene que hacer.

—¿Matías? ¿Quién es Matías? —replicó Neno—. ¡Yo quiero a mi mamá!

Y volvió a llorar, gritar y patalear porque estaba muy disgustado con todo aquello.

Un minuto después de que se hubiera ido su mamá, llegó Matías. Era un estudiante en prácticas del centro espacial. Parecía simpático, con sus gafas minúsculas y el pelo rizado.

—Yo viviré en casa y me ocuparé de ti hasta que tu mamá vuelva del espacio —le dijo Matías.

Aquella noche, Neno y Matías cenaron una pizza y vieron por televisión cómo el cohete de mamá se alejaba de la Tierra.

—¡El despegue ha sido un éxito! —comentó Matías entusiasmado.

Pero Neno no tenía nada que celebrar, y se fue muy triste a la cama deseando que la semana pasara lo más pronto posible.

A la mañana siguiente, Neno vio en el despertador que eran las ocho y diez. ¡Matías ya debería haberle venido a despertar!

Muy enfadado, saltó de la cama y fue hacia la habitación de los invitados, en la que encontró a Matías durmiendo como un lirón con un libro en las manos.

—¿Qué haces durmiendo? —le riñó—. ¿No te ha dicho mamá que me tienes que despertar a las ocho en punto?

Matías se desperezó y, mientras se ponía las gafas, dijo:

—Disculpa, es que tengo el sueño un poco pesado.

—Ahora me tienes que preparar el baño —dijo Neno.

—Eso mismo haré.

Tal vez Matías era muy buen estudiante, pero enseguida se vio que no era ningún genio preparando bañeras. Puso el agua demasiado caliente y estuvo a punto de echar jabón para la ropa en lugar de gel. Neno se desesperaba y le daba una instrucción tras otra.

—No es éste, sino el gel azul. Y el champú para el pelo es el frasco rosa. Sí, pon ahora un poco de agua fría. ¿Ves cómo lo hago?

Finalmente, Neno lo dejó por imposible y le dijo que fuera preparando el desayuno, que acabarían antes si se bañaba él solo.

A la hora de vestirlo pasó tres cuartos de lo mismo. Matías no acertaba nunca qué botón iba con qué ojal, y tuvo que ser el propio Neno que le explicara cómo se hacía.

Lo mismo sucedió con el desayuno, pues Matías lo había preparado todo al revés.

—¡Esos cereales van con leche fría! —gritó Neno—. Y no pongas azúcar en el chocolate. Ya viene azucarado.

«Vaya inútil que ha dejado mamá como canguro —pensó Neno mientras desayunaban juntos—. ¡Hay que explicárselo todo y aun así lo hace mal!»

El camino a la escuela tampoco fue ninguna maravilla. Matías le acompañaba de la manita, pero se paraba constantemente: ahora se le había desatado el zapato, luego quería mirar el escaparate de una librería, más tarde sonaba su móvil y se volvía a parar, porque Matías era incapaz de hacer dos cosas al mismo tiempo: caminar y hablar.

—Voy a llegar tarde por tu culpa —le riñó Neno, perdiendo la paciencia—. ¡Lárgate ya! Iré solo a la escuela. Y no quiero que me vengas a buscar.

Tengo que hacer deberes y si voy contigo, llegaremos a casa de noche.

Cuando acabó la semana y su mamá volvió del espacio, Neno protestó:

—¿De dónde has sacado a este Matías? ¡No sabe hacer nada!

—Qué curioso... —comentó su madre—. Pues él me ha dicho que tú eres un chico muy espabilado que lo sabe hacer todo. Dice que ha aprendido mucho de ti.

—¿De verdad? —exclamó Neno, orgulloso.

—De verdad.

A partir de ese día, para demostrarle a su mamá que lo que había dicho Matías era cierto, Neno empezó a hacerlo todo solo y requetebién. A su manera, sintió que también él había despegado.

Pauta pedagógica en p. 273.

El jarrón de aniversario

Ya desde la cuna, Adela siempre había sido un poco manazas. Rompía todos los sonajeros y chupetes y lloraba si no le daban otros nuevos.

Cuando a los catorce meses empezó a caminar, sus padres contemplaron con terror cómo todo lo que había en la casa se hacía añicos. Un juego de copas de cristal de Bohemia, las figuritas de porcelana que adornaban el televisor, y hasta el propio televisor estuvo a punto de caerse al suelo un día en que Adela empezó a zarandearlo para ver si sonaba algo dentro.

Todo lo que tocaba Adela se rompía. Cuando tenía algo en las manos, como el tazón de leche, enseguida quería otra cosa. Entonces simplemente soltaba el tazón —como si pudiera flotar en el aire— y corría hacia aquello que le había llamado la atención.

Pero los tazones no flotan en el aire, así que un segundo después, Adela oía cómo se rompía en mil pedazos. Inmediatamente después, sus padres acudían a ver el nuevo estropicio. Siempre le decían:

—Adela, cariño, ¿por qué no te fijas un poquito en lo que haces?

En la escuela sucedía más o menos lo mismo. Incluso sentada en el pupitre, Adela se cargaba todo lo que pasaba por sus manos. Si pedía un lápiz prestado a un compañero, apretaba tan-

to la punta contra el papel que la acababa rompiendo.

—Adela, ¡eres una manazas! —le gritaban entonces, y ella se sentía muy triste porque en realidad quería hacer las cosas bien.

Lo que pasaba es que se entusiasmaba tanto, por ejemplo al pintar un dibujo, que lo rompía todo.

Dicen que los grandes cambios vienen después de grandes catástrofes y eso mismo le sucedió a Adela.

La directora de la escuela cumplía 25 años en el cargo, y los padres de los niños de la clase se habían puesto de acuerdo para hacerle un regalo. Habían oído que era una gran coleccionista de porcelana, así que decidieron comprarle un enorme jarrón francés decorado con escenas campestres.

Cuando dos empleados de la tienda trajeron el jarrón a clase, todos miraron a Adela.

—¡Ni se te ocurra tocarlo, manazas! —gritó el niño que se sentaba delante.

La directora no llegaría hasta las doce. Entonces le darían el regalo. Pero antes tenían clase de plástica y, cuando la maestra vio el gran jarrón, tuvo esta idea:

—Quiero que dibujéis este jarrón en vuestro cuaderno. Primero haréis la silueta a lápiz. Luego los adornos. Al final añadiréis los colores.

Toda la clase se puso a la tarea, orgullosos de dibujar algo que ellos mismos iban a regalar. Adela era patosa para muchas cosas, pero no para el dibujo, así que pronto logró trazar la silueta del jarrón.

Luego empezó a rellenarlo con los adornos. En el jarrón había una escena en la que dos cazadores acababan de disparar. Un perro del que sólo se veía medio cuerpo debía de tener la presa en su boca.

«Necesito saber qué han cazado para completar el adorno», se dijo Adela, viendo que le quedaba un espacio en blanco.

Ni corta ni perezosa, Adela se levantó para ir a comprobarlo por sí misma. Toda la clase estaba tan concentrada en la tarea que nadie vio cómo se aproximaba peligrosamente al jarrón para estudiar la escena de caza. Ni siquiera la maestra, que en aquel momento apuntaba las notas del trimestre.

Adela quiso girar el jarrón para ver mejor el perro, pero pesaba tanto que no se movía. Decidida a terminar el dibujo, tiró de él con tanta fuerza que sucedió lo inevitable: acabaron en el suelo la niña y el jarrón.

Bueno, lo que quedaba del jarrón: un montón de añicos.

Se armó un escándalo tremendo, con muchos niños llorando de disgusto y la maestra desesperada. También era culpa suya por no haber vigilado mejor.

Para consolarles, la maestra decidió que la clase saliera al patio, donde organizaría algún juego

divertido. Pero Adela, que se sentía muy avergon-
zada, se negó a salir del aula. Tenía una idea.

—Como quieras —dijo la maestra—, pero si
rompes algo más voy a tener que hablar con tus
padres.

Los compañeros de Adela jugaron durante
casi una hora y olvidaron lo sucedido con el jarrón. Pero al volver a clase eran ya las doce, y la
directora estaba a punto de llegar. ¿Qué regalo le
darían?

Cuando entraron en el aula se llevaron una sorpresa de campeonato: Adela había recogido los añicos del jarrón y los había ido pegando en una tabla, donde formaban bonitas cenefas, con estrellas y flores. ¡Parecía un mosaico de Gaudí!

La clase decidió que, ya que no había jarrón, le entregarían el mosaico de Adela. La directora estuvo encantada con el regalo y besó a todos los niños y niñas para darles las gracias.

Cuando se acercó Adela para recibir el beso, la directora le susurró al oído:

—No soy tan vieja y tonta para no saber qué ha sucedido. Si el mismo cuidado con el que has hecho este mosaico lo dedicaras a las cosas enteras, ya no romperías nada más.

Adela tomó buena nota del consejo y a partir de ese día dejó de ser una manazas.

Pauta pedagógica en p. 275.

¡Mío, mío!

Algo que Esteban no soportaba en este mundo era que se llevaran sus cosas. Era un chico estudioso, obediente, limpio... pero ¡pobre de aquel que tomara algo suyo sin su permiso!

Su habitación estaba tan ordenada que parecía una tienda. Tenía un lugar para cada cosa y una cosa para cada lugar. Cada estantería estaba marcada con una etiqueta en la que ponía: «SECCIÓN CD», «SECCIÓN COLORES» o «SECCIÓN JUEGOS DE MESA».

Esteban tenía un bloc de notas donde apuntaba las cosas que había en cada estantería. Todos los domingos, después de desayunar y ver su programa favorito, leía la lista en voz alta para comprobar que todo estuviera donde debía.

Un domingo después de Navidad, mientras pasaba revista a sus cosas, Esteban se llevó un disgusto gordísimo. En la «SECCIÓN COCHES» faltaba un Ferrari Testarossa al que se le encendían las luces. Siempre había estado ahí —ocupaba la posición n.º 9 de la estantería— ¡y ahora había desaparecido!

Pálido como la cera, Esteban fue a contarle a su mamá lo que había sucedido.

—No sé dónde está, Esteban.

Hizo la misma pregunta a su padre, que también le dijo:

—No lo sé, Esteban.

«¿Dónde puede estar?», se preguntaba él, desesperado, mientras daba vueltas por su habitación y comprobaba su lista de cosas.

Por la noche, mientras estaba cenando, tuvo una sospecha. La mañana después de Navidad habían venido a jugar sus primos pequeños. Uno de ellos, Dani, se pirraba por los coches y le encantaba dibujarlos con todo lujo de detalles.

—¡Ha sido Dani! —gritó Esteban de repente, sin que sus padres entendieran nada—. Se ha llevado el Ferrari. ¡Se va a enterar!

Y ya iba a llamar por teléfono a su primo para decirle cuatro cosas, cuando su padre lo detuvo.

—Esteban, acabo de recordar que Dani vino anteayer, mientras estabas en el parque. Preguntó si podía llevarse un coche para acabar un dibujo que había empezado. Debe de ser este que buscas.

—Pero... ¿por qué has hecho eso, papá? —protestó—. ¿Cómo das algo mío sin mi permiso?

—No seas así. Cuando termine el dibujo, te lo devolverá.

—¡El Ferrari es mío! —gritó Esteban, fuera de sí.

—Baja la voz —le ordenó su padre—. Además, tienes muchos coches. ¿Por qué no puede Dani tener tu Ferrari unos días? Ya sabes que disfruta mucho dibujando.

—¡Porque el Ferrari es mío! ¡Mío, mío!

Los padres de Esteban intentaron hacerle comprender que no había para tanto, pero él no paraba de decir: «¡Mío, mío!», hasta que al final le mandaron a su habitación.

Ya en la cama, Esteban seguía enfadadísimo. Estaba furioso con su primo Dani, que se había llevado el coche. También con su padre, que lo había prestado sin su permiso. ¿Y si no lo devolvía, o lo devolvía con una abolladura o una rayada? ¡Ya nunca sería lo mismo!

Esteban tuvo tiempo de gritar una última vez «¡mío, mío!» antes de caer dormido.

Debía de llevar un par de horas durmiendo cuando un ruido muy fuerte le despertó. Esteban encendió la lamparita de noche y se quedó con la boca abierta. En el suelo de su habitación había un montón de muñecos de la «SECCIÓN SOLDADOS». ¿Qué hacían ahí?

Miró la estantería y vio que un gato atigrado jugaba con los muñecos, que iban cayendo uno tras otro.

Horrorizado, Esteban se levantó para ahuyentarlo, cuando vio otros dos gatos que trepaban por el estante de los cuentos, derribándolos a su paso. Además, un cachorro de gato jugaba con su pelota de luces, y otro más estaba arañando su saco de boxeo nuevo.

Esto era más de lo que él podía soportar, así que, olvidando que eran las tantas de la madrugada, empezó a gritar:

—¡Fuera de mi habitación! ¡No quiero que toquéis mis cosas!

Pero, en vez de salir corriendo, los gatos respondieron con maullidos:

«¡Mío, mío!» «¡Mío, mío!» «¡Mío, mío!»

Esteban agarró su mejor raqueta de tenis para

echar a los gatos a raquetazos, cuando
una voz de mujer le detuvo. La voz venía de su ventana, que daba a un jardín público. Seguramente,
los gatos habían entrado por ahí.

—Soy el hada de los gatos —dijo.

Era una anciana de aspecto amable, con un
gorro de lana y gafitas estrechas. Cuando Esteban
se recuperó de la sorpresa, le dijo:

—Entonces, ¡llévatelos de aquí!
¡Lo están rompiendo todo!

—Si no los hubieras llamado, no habrían venido. Los gatos de este parque son muy educados.
Nunca fallan si se les invita a una fiesta.

—Pero... ¿qué tonterías dice? ¡Yo no los he
invitado!

—Sí que lo has hecho. Los has llamado en su propio idioma para que vinieran a jugar. Ayer por la noche estuviste diciendo «¡mío, mío!» y los gatos entendieron que les llamabas.

Como confirmando sus palabras, en aquel momento la docena de gatos que se paseaban por la habitación empezaron a maullar:

«¡Mío, mío!» «¡Mío, mío!» «¡Mío, mío!»

—¿Lo ves? —rió el hada de los gatos, y luego le dijo—: Bueno, chicos, la fiesta ha terminado por hoy. ¡Hasta la próxima!

Al oír esto, los gatos empezaron a saltar por la ventana hasta el jardín, donde les esperaba el hada de los gatos para darles de comer.

Sin salir de su asombro, Esteban cerró la ventana y la persiana para que no entraran de nuevo. Antes de volver a la cama, puso todos los juguetes en su sitio y comprobó aliviado que no habían sufrido desperfectos.

A la mañana siguiente, Esteban vio que la ventana estaba cerrada y la persiana, bajada. Nunca logró saber si había soñado con el hada y sus gatos, o si aquello había sucedido en realidad. Por si acaso, se propuso no volver a decir «mío, mío» a partir de ahora. ¡No quería que le tomaran por un gato!

Pauta pedagógica en p. 277.

La caja azul

Los habitantes de una ciudad de Persia habían quedado bajo los caprichos del pequeño Mimo, que gobernaba sin ton ni son desde que su padre se había ido a una guerra lejana.

La gente recordaba con nostalgia cuando el rey estaba en palacio y se preocupaba por la prosperidad y la justicia de los suyos. Había hecho construir canales para llevar agua a las casas y un hospital gratuito. Prestaba dinero a los comerciantes que se encontraban en apuros y nunca exigía que se lo devolvieran.

Todo eso se terminó cuando Mimo, que tenía sólo diez años, se sentó en el trono mientras su padre estaba en el campo de batalla. Ordenó que la gente le pagara por el agua y por los médicos, y decidió que por cada moneda prestada le tendrían que devolver dos.

Pero no sólo la población sufría los caprichos de Mimo, sino también sus propios criados. Todo lo pedía y ordenaba a gritos, y si no satisfacían sus deseos inmediatamente, pataleaba y amenazaba con castigos terribles.

Todos le temían y cuando Mimo salía de paseo a lomos de su yegua blanca, la gente se encerraba en sus casas. ¡Y había razones para hacerlo!

El hijo del rey tenía una mala costumbre: siempre quería aquello que era de los demás. Daba igual

que él fuera cada vez más rico y el pueblo cada vez más pobre. Si mientras iba de paseo, pasaba por su lado un niño con un racimo de dátiles, se lo pedía inmediatamente.

Tras comer un dátil, lo tiraba porque estaba harto de tantos banquetes que se daba. Lo mismo sucedía si alguien pasaba por la calle con un instrumento musical, una alfombra o un pájaro cantor en su jaula.

No los necesitaba porque tenía de todo, pero Mimo no soportaba que nadie tuviera nada aparte de él. Por lo tanto, le quitaba el violín al músico y lo probaba. Como no lograba sacar ninguna nota clara, lo acababa rompiendo en mil pedazos. Utilizaba la alfombra como cama para sus perros y daba el pájaro cantor a su cocinero para que lo asara a la barbacoa.

Los días iban pasando, de un capricho a otro, y ya nadie se atrevía a pasear por la calle por si aparecía Mimo, ni mucho menos entrar en palacio a pedir consejo o favores, como sucedía a menudo mientras gobernaba su padre.

Un día anunciaron a Mimo que había llegado una caravana del desierto. Se había detenido en la ciudad para reponer agua y provisiones. Después de cobrarles lo uno y lo otro a precio de oro, Mimo quiso saber adónde se dirigían y qué transportaban.

Los camelleros dijeron que iban a Samarkanda y mostraron al hijo del rey que no llevaban nada

de importancia: sacos de té, platos y vasos de metal, babuchas sencillas y algún perfume barato.

—¿Y esa caja azul? —preguntó Mimo, intrigado, al verla en lo alto de un camello.

—No sabemos qué contiene —dijo el portavoz de la caravana—. Es un regalo del emir de Omán para el museo de Samarkanda.

Mimo enseguida imaginó que aquella caja contenía joyas antiguas y monedas de oro. Por eso el emir no había dicho a los camelleros qué contenía. Era una manera de proteger sus riquezas.

Puesto que estaban de paso en sus dominios, Mimo se encaprichó de la caja y decidió que su contenido iba a ser suyo.

—Que uno de vosotros lleve la caja azul a palacio —ordenó—. El resto de la carga puede pasar.

—Pero ¡mi señor! —protestó el más anciano de los camelleros—, no podemos entregarle algo que no es nuestro. El emir de Omán nos ha ordenado entregarla al museo de Samarkanda.

—Si estuvierais en Samarkanda sería como dices —replicó el hijo del rey—, pero aquí sólo cuenta lo que mande yo. Por lo tanto, serás tú mismo quien lleve la caja azul a palacio si no quieres que te haga azotar.

Con más compasión que enfado, el anciano pidió a sus compañeros que le esperaran y llevó la caja azul obedientemente a palacio.

—Alá se enfada cuando tomamos lo que no es nuestro —dijo el anciano a Mimo, que le guiaba con sus hombres.

—No me lo hagas repetir o lo lamentarás: en esta ciudad sólo cuenta mi voluntad.

El viejo camellero llevó la caja azul hasta los aposentos privados del hijo del rey, que le despidió de malas maneras y le dijo que no se le ocurriera contar a nadie lo que había sucedido.

—Di al emir de Omán que la caja se cayó en

algún momento del trayecto. ¡Y ahora vete! Quiero
estar solo.

Lo mismo ordenó a los criados de palacio,
que cerraron a cal y canto las puertas de sus aposentos para que nadie pudiera entrar. Por fin solo
con su tesoro, Mimo abrió la caja azul, que estaba
fuertemente sellada.

Para su asombro y horror, en lugar de joyas,
de su interior empezaron a salir cientos de arañas
gruesas y peludas que rodearon al hijo del rey y
empezaron a treparle por las piernas.

En su ignorancia, Mimo no sabía que el museo de Samarkanda era famoso por sus colecciones de insectos.

Las arañas de la caja azul no eran venenosas, pero le dieron tal susto que Mimo no volvió a tener caprichos ni a tomar lo que no era suyo.

Pauta pedagógica en p. 279.

¿Por qué?

Chao Chang vivía retirado en su casa de campo, dedicado a cuidar su jardín y a reposar en silencio. Tras vivir muchos años en Pekín, donde era profesor de ciencias, su deseo era pasar sus últimos años en calma y soledad.

Mientras trabajaba el huerto y pasaba largas horas meditando en su cojín, Chao Chang se preparaba para abandonar este mundo ligero como la brisa.

Pero toda su tranquilidad se fue al traste el día en que Diana, la hija de un sobrino suyo que vi-

vía en América, le anunció por carta que venía a pasar el verano con él.

La pequeña Diana había nacido fuera de China, pero seguía practicando su idioma en una escuela especial a la que iba una hora cada tarde. Como su padre, el sobrino de Chao Chang, tenía negocios en Pekín, había decidido que la niña pasaría el verano en la casa de campo mientras él trabajaba.

Diana había escrito la carta de su puño y letra para demostrar que sabía chino y que tenía muchas ganas de practicarlo.

Llegó el día señalado y el sobrino americano llegó con su cochazo a la puerta de la casa de campo. Traía muchos regalos que Chao Chang no necesitaba para nada, pero se vio obligado a aceptarlos. Luego comieron ensalada, fideos fritos y setas negras cultivadas por el propio Chang.

Al terminar la comida, tras beber un licor de rosas, el sobrino se despidió de Chao Chang y dejó a Diana a su cuidado. Luego se fue a Pekín con su cochazo a hacer negocios.

La niña estaba encantada con el cambio de aires. En América estaba siempre en la escuela o encerrada en el apartamento con la canguro. Su papá hacía muchos viajes de negocios, como ahora, y su

mamá trabajaba hasta tarde en la torre de control de un aeropuerto.

—¿Puedo llamarte tío Chang? —preguntó Diana, mientras recorrían de la mano el jardín.

—Puedes —respondió, pues era hombre de pocas palabras.

La pequeña Diana estaba acostumbrada a divertirse sola y, desde el primer día, empezó a pasarlo en grande. Entraba y salía de todas las habitaciones de la casa, revolvía armarios y miraba el paisaje desde las distintas ventanas. Pero lo que más le gustaba era hablar en chino con Chao Chang.

Y, para Diana, hablar significaba hacer preguntas:

—Tío Chang, ¿por qué las zanahorias crecen hacia abajo?

—Ni idea.

—¿Es por llevar la contraria?

—No creo, supongo que se sienten más seguras así.

—¿Y eso por qué?

—Bueno... si crecieran hacia arriba, como son tan naranjas, los conejos las verían enseguida y se las comerían antes de que pudieran crecer.

—Ah.

Cuando Diana decía «ah» no significaba que su curiosidad estuviera satisfecha. Era sólo una pausa mientras preparaba nuevas preguntas.

Llegó un momento en el que Chao Chang ya no podía ir a ningún sitio sin que la niña le siguiera. Sus preguntas no tenían fin. Si el pobre hombre se sentaba en su almohadón a meditar, Diana le preguntaba:

—Tío Chang, ¿por qué te sientas ahí? ¿No estarías más cómodo en la cama?

—Es que no quiero dormir —respondía.

—Entonces, ¿por qué cierras los ojos?

—Porque quiero meditar.

—Y ¿qué es meditar?

—Es sentarse en un almohadón y cerrar los ojos, pero sin dormirse.

—¿Y no podrías hacerlo en la cama?

—Entonces me dormiría.

—Ah.

Chao Chang ya no podía meditar ni trabajar el huerto en paz. Siempre tenía a la pequeña Diana pegada a sus faldones, preguntando la razón de cualquier cosa que hiciera.

Un día que estaba muy fatigado, Chang decidió responder a la niña con una pregunta muy difícil. Era la pregunta que hacían los maestros espirituales a sus alumnos para hacerles pensar. Éstos podían estar meses, años incluso, buscando la respuesta.

—Piénsalo bien —dijo Chang—. No podrás preguntarme nada más hasta que no me des una respuesta.

—¡De acuerdo! —dijo Diana, entusiasmada por el reto.

—La pregunta es: ¿Cuál es el sonido de una sola mano?

—¿Cómo? —respondió Diana—. Querrás decir de dos manos...

—No, ya sabemos que el sonido de dos manos es «¡PLAF!». Es lo que sucede cuando aplaudimos. Por eso yo quiero saber cuál es el sonido que hace una sola mano.

Diana se quedó unos segundos pensativa. Dos manos hacen «¡PLAF!» porque chocan entre sí. Pero una sola mano... ¡no hace ningún ruido! No podía ser ésa la respuesta. Si le decía a tío Chang: «El sonido de una sola mano es el silencio», él le diría

¡PLAF!

que el silencio no es ningún sonido y tendría que volver a pensarlo.

De repente, a Diana se le ocurrió algo que podía ser la respuesta al acertijo. Mientras Chao Chang arrancaba las malas hierbas del huerto, la niña corrió hacia él y le dio un palmetazo en el trasero... con una sola mano.

«¡PLAF!»

Así sonó el trasero de Chang, que se giró asombrado ante el descaro de la pequeña.

—¿Por qué has hecho eso? —le preguntó enfadado.

—Me preguntaste cuál era el sonido de una sola mano. Ahora ya lo sabes.

Pauta pedagógica en p. 281.

Pautas
pedagógicas

1. El pequeño Einstein
El niño superdotado

Por el mismo hecho de estar fuera de la media, el niño superdotado puede tener problemas muy parecidos a los del que presenta retraso. Le cuesta adaptarse a la rutina escolar porque se aburre en clase y no responde a los estímulos que interesan a sus compañeros. El superdotado siempre está «en la luna» y a veces parece que no llega al nivel de la media, cuando en realidad el problema es que tiene superados los contenidos que se enseñan. Por el mismo motivo, le cuesta relacionarse con sus compañeros.

En el hogar, tiende a ser autoritario y dominante. Contradice las pautas de los padres porque tiene gran capacidad de discernimiento.

Lo que deben hacer los padres y los maestros es proporcionar al niño estímulos suplementarios —por ejemplo, tareas de mayor nivel— para que se mantenga atento.

Ni siquiera es necesario que acuda a una escuela especial. Es más provechoso que el niño pueda desarrollar sus capacidades en un entorno normal, que es al fin y al cabo donde se moverá el resto de su vida. Si se educa en una «escuela para genios», luego le costará integrarse en una relación de grupo o de pareja.

En la escuela normal, por ejemplo, se le puede encargar que ayude a alumnos con dificultades para que aprenda a cooperar y compartir sus capacidades. En el ámbito de la familia, es importante que el niño superdotado no se sienta superior al resto. La clave es enseñarle a utilizar su inteligencia con modestia para fines positivos y altruistas, en lugar de compararse con los demás y despreciar a los que tienen menos capacidad.

En el cuento «El pequeño Einstein» vemos cómo el niño superdotado puede utilizar su inteligencia para ayudar a sus compañeros y ganarse la estima de todos. Óscar no sólo enseña matemáticas al niño con más dificultades sino que, gracias a su ingenio, libra a toda la escuela de los bandidos.

2. Fantasmas en el ático
El niño miedoso

Uno de los sentimientos más precozmente arraigados en el ser humano es el miedo. Los niños pequeños no tienen una idea clara de lo que significan conceptos abstractos como la bondad o la felicidad; en cambio, aprenden enseguida a emplear el término «miedo». Probablemente se deba a que, desde los albores de la humanidad, ha sido una herramienta que nos ha ayudado a evitar los riesgos. Y, por lo tanto, a aumentar nuestras posibilidades de supervivencia, como una alarma constante que se anticipa a los verdaderos peligros.

El problema es que, llevado fuera de los parámetros de utilidad, el miedo se convierte en un freno para el buen desarrollo del pequeño.

Los niños más susceptibles de padecer fobias son los que han crecido sobreprotegidos, porque no tienen instrumentos para enfrentarse a las eventualidades que surgen en el día a día. Asimismo, los hijos de padres inseguros suelen desarrollar un carácter apocado y poco expeditivo.

La psicología conductista trata las fobias con eficacia a través de la denominada «terapia de exposición». Se expone al niño gradualmente a aquello que le asusta hasta que se acostumbra y una huella positiva borra la negativa.

Por otro lado, como prevención es importante que los padres controlen el tipo de películas que ven los niños, ya que muchos terrores se desatan a partir de escenas truculentas que no son adecuadas para el público infantil.

En el cuento «Fantasmas en el ático» vemos cómo al

tomar conciencia de que los miedos son infundados, las fobias se desactivan. El tío de Benito le hace ver que los fantasmas se crean y alimentan en su propia cabeza —el ático humano— y que basta con no pensar en ellos para que se vayan para siempre.

3. Problemas por partida doble
Gemelos

En las últimas décadas, el índice de gemelos se ha multiplicado a causa de los programas de fertilización a los que se someten mujeres con dificultades para quedarse embarazadas; entre ellas, las que han tomado la píldora durante muchos años.

El principal problema de los gemelos es la identidad. Los padres tienden a hablar en plural, les cuesta dar un trato individualizado a este tipo de niños, asumir que se trata de dos —o más— personas que son totalmente diferentes. Cuando sucede esto, cada uno de los gemelos está tan acostumbrado a recibir los estímulos simultáneamente con su hermano que no acaba de desarrollar una identidad propia.

Por eso es desaconsejable la tradición de vestirlos igual y darles regalos idénticos para que no haya celos entre ellos. Al contrario, en estos casos hay que promover la diferencia para que crezcan como personas libres y autónomas. Para ello es conveniente apuntarlos a actividades extraescolares diferentes, separarlos lo máximo posible fuera del hogar, donde sí es normal y necesario que tengan una relación de hermanos.

Un problema añadido es que entre gemelos suele haber uno que domina al otro y le hace ir a remolque de sus decisiones. Si los padres detectan este tipo de relación, deben estimular especialmente al niño más débil para que desarrolle su propia personalidad. El exceso de proximidad hace que, por lo general, los celos entre gemelos sean más virulentos que entre otro tipo de hermanos.

En el cuento «Problemas por partida doble» vemos cómo, pese al parecido físico, los gemelos acaban desarrollando un carácter propio y diferenciado. Al final del cuento, Milena y Malena siguen caminos diferentes, lo cual no impide que sigan estando muy unidas como hermanas.

4. La novia de papá
La pareja del padre

El momento en el que el niño ve a su padre con otra mujer es problemático, porque existe el miedo a que «la nueva» suplante a la madre. De algún modo, al trauma de la separación de la pareja se suma el miedo a ver sustituida la madre natural por una extraña. Por eso, el rechazo suele ser automático: encontrará todas las pegas y defectos a la pareja. Por su parte, el padre siempre se esfuerza porque la novia caiga bien al niño, pero con ello sólo se consigue que la aversión aumente.

Lo recomendable es, pues, llevar esta cuestión con mucha calma y dejar que el niño o niña se relacione natural y gradualmente con la nueva persona que ha entrado en su intimidad. La clave es ir muy despacio, especialmente por lo que respecta a lo que sucede en el dormitorio del padre. A los niños les incomoda ver que una desconocida ocupa el lugar de su madre en la cama. Por eso, antes de que la nueva pareja se instale en la casa, tiene que haber pasado un tiempo de adaptación y conocimiento mutuo.

A menudo, el padre quiere integrar rápidamente a la novia en el hogar para beneficiarse de su función doméstica. Esto puede ser lo más cómodo para el adulto, pero no lo es en absoluto para los niños.

En el cuento «La novia de papá», vemos cómo el rechazo que siente Adrián hacia Jacqueline y su hijo termina cuando reconoce en el pequeño a su mejor amigo. Eso le enseña que no hay que prejuzgar a las personas sin antes conocerlas.

5. El novio de mamá
La pareja de la madre

Aquí encontramos la misma problemática que en el cuento anterior, pero con algunas variantes. Por lo general, las madres —cuando tienen un novio— no intentan forzar tanto la situación, porque son más conscientes de la dificultad que ello supone para los niños. Tienden a mantener el novio un poco más a distancia y miden cada paso en la integración del recién llegado en el hogar.

Es importante recordar que la pareja de la madre no debe asumir el rol de padre, sino simplemente el de una persona adulta a la que se debe respetar. Por otra parte, a veces, el novio se excede en las atenciones hacia los hijos con el fin de ganárselos. Además de consentirlos, existe el peligro de que los niños acaben haciendo chantaje a la pareja si no obtienen lo que desean. Amenazas del tipo: «Si yo quiero, no estarás con mamá.»

Por eso es saludable relacionarse con los hijos de la pareja con la distancia justa y acortarla muy progresivamente, cuando todas las partes estén preparadas para ello.

En el cuento «El novio de mamá», la niña empieza a entablar amistad con él cuando deja de sentirse presionada. Laura descubre el pasado de Román, lo que le permite establecer una relación de tú a tú, sin falsos roles paternales que entorpezcan el diálogo.

6. El pelotazo
El niño con fobia a la escuela

Todos los niños sienten algo de pánico o aprensión cuando dejan el parvulario para ir a la escuela. Sin embargo, este cambio es para algunos especialmente traumático, y pueden manifestarlo en forma de vómitos, diarreas, palidez y ansiedad en el trayecto hacia la escuela. Son síntomas fisiológicos comunes a cualquier fobia.

El pequeño que sufre esta fobia cree no poder soportar una situación nueva que le crea un sentimiento de indefensión. Por lo tanto, el papel de los padres es tranquilizar al niño sobre el escenario que va a encontrar, reforzando los aspectos positivos y agradables de la escuela: juegos divertidos, nuevos amigos, aprender cosas interesantes...

A veces la fobia se produce porque ha habido un choque con algún maestro o con otros niños de la clase. O puede incluso deberse al rechazo hacia la comida que recibe en la escuela. Corresponde a los padres conversar con su hijo para llegar al fondo del problema y resolverlo. Con una buena motivación —sin forzarle, hay que darle tiempo— y algún incentivo, el pequeño con fobia acabará dando el paso para salir del círculo protector.

En el cuento «El pelotazo», vemos cómo el mejor remedio para la fobia es exponerse a aquello que la ha desatado. Cuando Martín es seleccionado para el equipo de su clase, la huella positiva borra la negativa y pierde el temor a ser agredido.

7. ¡Qué peligro tiene esta niña!
El niño sufridor

Este tipo de personalidad suele estar relacionado con el carácter sufridor del padre o la madre. Los progenitores que están constantemente advirtiendo al niño de los peligros —en casa, en la calle, en la escuela— acaban generando en él un sentimiento de inseguridad.

El niño sufridor no sólo se manifiesta ante peligros meramente físicos, sino que a menudo su temor pertenece al ámbito psicológico: por ejemplo, si los padres discuten, enseguida teme que se separen; o bien tiene miedo a ser abandonado cuando los progenitores le dejan al cuidado de otra persona.

En algunos casos, estas preocupaciones se somatizan en forma de dolencias —como dolores de barriga—, con lo que se abona el terreno para una futura hipocondría.

Para evitar este tipo de problemas, hay que partir de esta base: ningún niño nace siendo sufridor. Somos nosotros los que, con nuestros propios temores, trasladamos esta inseguridad a los hijos. Por lo tanto, el mejor antídoto es educarlos de manera valiente, libre y desacomplejada.

La clave es reforzar la autoestima del niño y crear a su alrededor un ambiente de optimismo y confianza, aunque sin forzarlo. Si, por ejemplo, el niño tiene pánico al mar, es contraproducente tirarlo al agua para que aprenda a nadar. Es mejor exponerle gradualmente al agua para que logre el objetivo por sí mismo.

En el cuento «¡Qué peligro tiene esta niña!», Corina es sufridora porque sus padres le han transmitido esta misma actitud. A través de la fábula del campesino, su tía les invita a dejar atrás los miedos y dedicarse a vivir con mentalidad positiva.

8. El planeta Viceversa
El niño tramposo

A la mayoría de los niños les cuesta perder. Pero para algunos supone un verdadero problema salir derrotados en un juego de mesa o en cualquier deporte. Prefieren hacer trampas y si eso no es posible, el enfado llega a ser desproporcionado. Este tipo de perfil suele corresponder a niños dominantes que quieren llevar siempre la iniciativa, actitud reforzada a veces por unos padres demasiado blandos.

La iniciativa siempre la deben llevar los padres, aunque el niño trate de presionarles con rabietas. Hay que tener paciencia e intentar hacerle comprender que es natural perder a veces, tanto como ganar. Si el niño se muestra disgustado, no hay que darle importancia, ya que los pequeños tienen una capacidad de adaptación mucho mayor de lo que imaginamos. Además, olvidan rápidamente, pues su atención se dirige con facilidad hacia nuevos juegos.

Los padres de un niño tramposo deben hacer, antes del juego, una labor preventiva: advertir al pequeño que tiene tantas posibilidades de ganar como de perder y recordarle que lo importante es divertirse y aprender. También podemos trabajar la generosidad hacia los demás: si pierde, quiere decir que gana otro, y el mayor éxito es alegrarse de la victoria de nuestros compañeros.

En el cuento «El planeta Viceversa», la protagonista aprende que a veces tiene más mérito perder que ganar. Después de su paso por Viceversa, Estefanía entiende que debe ejercitarse para ceder la iniciativa a los demás.

9. Los polvos de la risa
El niño apático

Algunos padres se quejan de que su hijo se muestra apático, desmotivado, incluso poco emotivo. Se trata normalmente de un niño que ha crecido con todo lo que ha deseado —juguetes, ropa de marca, dinero— hasta llegar a un punto en el que nada le hace ilusión porque no ha tenido que luchar para conseguirlo.

La apatía es muy común en la adolescencia, pero en algunos casos empieza ya en la infancia, porque el niño no ha recibido suficientes estímulos o los estímulos no eran los adecuados.

Si es éste el caso, los padres deben empezar «retrocediendo» al punto en el que empezaron a acostumbrar mal a sus hijos. Olvidar todo lo que ha sucedido hasta el momento y empezar con pequeños cambios: exigir algún tipo de esfuerzo antes de proporcionarle lo que desea, felicitarle por sus éxitos —aunque sean modestos— y alentarle para que siga en ese camino.

Hay niños que son apáticos no porque hayan recibido demasiados regalos, sino porque sus propios padres no saben expresar sus emociones y han mimetizado esa actitud.

Si en el círculo más inmediato del niño se respira apatía, resignación y pesimismo, no podemos esperar de él una actitud de entusiasmo ante la vida.

En el cuento «Los polvos de la risa», la alegría se contagia entre los súbditos de Palimbus. El final nos hace pensar que el famoso saquito de la risa nunca existió, porque el entusiasmo se transmite de un modo más sutil que el polvo. El mago rompe la tónica de apatía y gravedad, aportando un estado de ánimo positivo que se acaba contagiando.

10. Las cosechas
El niño con problemas escolares

Un aprendizaje lento puede obedecer a diferentes causas: falta de estimulación por parte de los padres —especialmente en la etapa básica de cero a dos años—, problemas emocionales o incluso retraso intelectual.

En cualquiera de estos casos, una respuesta inadecuada por parte de la familia y la escuela puede agravar la situación.

Si el niño nota que los padres se angustian o se irritan por su bajo rendimiento, o si los maestros no saben abordar el problema y cargan las culpas sobre él, la presión aumentará su sensación de inutilidad y dificultará aún más el aprendizaje.

Lo importante es que la familia y la escuela encuentren un ritmo adecuado a las necesidades del niño, de modo que se motive y vea incentivados los progresos que realice, no importa lo pequeños que sean. Generalmente, el aprendizaje no es igual de lento en todas las áreas. Quizá en las asignaturas de lógica avance muy despacio, pero en cambio tenga una mayor capacidad para las actividades artísticas.

Los padres deben animar al niño para que vaya cubriendo el desfase paso a paso, aunque eso implique repetir algún curso. Es esencial respetar su propio ritmo y no forzarle. Lo importante es que no se angustie y que, con el apoyo de los padres y de la escuela —que puede proporcionarle un refuerzo, si es necesario—, se sienta satisfecho a nivel emocional.

En el cuento «Las cosechas», los padres de Paula la ayudan a superar su bloqueo escolar desdramatizando la situación, con lo que la niña se siente tranquila y segura, y acaba superándose en los estudios.

11. Tic-Tic
El niño con tics

Hay tics que tienen una procedencia orgánica —suelen ser rasgos genéticos— y pueden tratarse con medicación. También están los tics temporales, que surgen tras un período de estrés o de un trauma emocional; para descargar la tensión, el niño entonces se muerde las uñas, se rasca o mueve el pie sin parar.

Otras reacciones de autoprotección son chuparse el dedo, morderse la ropa o bien agujerear los bolsillos de la bata con los dedos. Todos estos hábitos son una manera de dar salida a un estado de ansiedad. Los tics revelan, ante todo, inseguridad y problemas emocionales importantes, como la muerte de un familiar, la separación de los padres o incluso repetir curso.

Para abordar un problema de este tipo, nunca hay que decirle al niño que lo tiene. Por ejemplo, si se muerde las uñas, podemos tomarle la mano haciendo ver que lo hacemos por otro motivo. De este modo cortamos la situación sin ponerle todavía más nervioso, lo cual sería contraproducente. Si estamos encima del niño diciéndole: «No te muerdas las uñas» o «no te rasques», aumentaremos la presión y el tic se verá reforzado.

De todos modos, si se trata de un tic muy acusado, deberíamos consultar con un especialista por si es preciso un tratamiento con fármacos.

En el cuento «Tic-Tic», la princesa y su pueblo quedan liberados del problema gracias al amor de un caballero, que desarma con paciencia al brujo causante del hechizo. Leonardo no trata de corregir el tic directamente en la princesa y sus súbditos, sino que usa medios más sutiles, tal como debemos hacer con los niños que padecen este problema.

12. La palabrota más gorda del mundo
El niño malhablado

Un lenguaje grosero por parte del niño es siempre consecuencia de una imitación de modelos externos. Si el líder de la clase dice palabrotas, puede que sus compañeros emulen esta conducta. No obstante, a menudo son los padres los malhablados, por lo que no deben extrañarse luego si su hijo hace lo mismo.

El niño imita a los adultos de modo instintivo. Aquellas palabras y expresiones que le parecen divertidas, diferentes o chocantes le atraen, especialmente si comprueba que al decirlas los demás se quedan boquiabiertos. En este caso, su actitud se ve reforzada, ya que ha encontrado un medio idóneo para llamar la atención y no pasar inadvertido.

Las palabrotas se propagan con el contacto social. En una misma clase, si un niño o niña empieza a emplear una expresión nueva, lo normal es que los demás acaben incorporándola a su vocabulario.

Una táctica para deshabituar al niño es decirle que no debería aprender palabrotas hasta que conozca un número suficiente de palabras —por ejemplo 5.000—, porque le impediría aprender nuevas palabras. O bien prometerle que a los 18 años ya podrá hablar como quiera. De esta manera se justifica también que los padres sean malhablados, aunque es una conducta que se debe evitar si no queremos que los hijos la emulen.

Tampoco hay que confundir esta problemática con lo que se observa en muchos niños entre los tres y cinco años, cuando les atrae pronunciar palabras escatológicas o relativas a los genitales. Los padres no deben darle importancia, ya que con ello sólo reforzarían esta actitud por parte del pequeño. Como mucho, pueden recordarle que «existen palabras más bonitas».

En el cuento «La palabrota más gorda del mundo», los alumnos de la escuela dejan de ser malhablados en cuanto los profesores, en lugar de tomarlo como una provocación, lo incorporan a sus tareas escolares para dificultarlas.

13. ¡Qué grande eres!
El niño obeso

Aparte del peligro que supone para la salud, el sobrepeso en los niños les hace padecer la crueldad de sus compañeros de clase, que suelen ponerles enseguida un apodo para ridiculizarlos. Por eso es importante que los progenitores estén atentos, porque es una problemática que va a marcar el desarrollo físico, psicológico y emocional del pequeño.

Según la última Encuesta Nacional de Salud, uno de cada seis niños y adolescentes es obeso, un índice que casi se ha multiplicado por cuatro en los últimos veinte años. A menudo este problema pasa por alto a los padres, que deberían empezar a preocuparse a partir de los cinco años —si observan este problema— y abordarlo de inmediato. Básicamente se trata de promover en el niño obeso unos hábitos saludables: alimentación equilibrada, más ejercicio y menos televisión.

Este último factor no debe subestimarse: se ha calculado que cada hora diaria de televisión aumenta el riesgo de obesidad en nuestros hijos en un 12 por ciento.

Al mismo tiempo, el niño con sobrepeso necesita que reforcemos su autoestima para compensar el posible maltrato psicológico por parte del entorno escolar. Además de promover un cambio de hábitos, hay que poner énfasis en sus cualidades —nunca criticar su obesidad— para motivarle.

Hay que estar alerta, sin embargo, para que al combatir el sobrepeso, no se promueva un problema de anorexia, ya que algunos niños obesos desarrollan en la adolescencia una excesiva preocupación por estar delgados.

En el cuento «¡Qué grande eres!», Maeva no se deja influir por las bromas y desaires de sus compañeros —porque sus padres le han inculcado esa misma tranquilidad— y al final logra ser valorada por su valentía y fuerte personalidad.

14. Una semana horrible
El niño con mal comportamiento

Antiguamente se creía que el niño que se portaba mal debía recibir un castigo. Hoy en día ya no hablamos de «castigo», sino de «eliminación de privilegios». En vez de la antieducativa bofetada —que expresa la impotencia de los padres pero no soluciona nada—, cuando un niño rebasa los límites de lo permisible, podemos adoptar medidas como no dejarle jugar con el ordenador, apagar el televisor durante un día o retirarle la asignación semanal.

Lo importante es que entienda que los actos tienen consecuencias. Las buenas acciones tienen su gratificación, mientras que las de signo contrario evitan que se beneficien de privilegios que habrían tenido si se hubieran portado bien.

Toda conducta puede ser modificada y reconducida con un poco de paciencia e inteligencia por parte de los padres. No podemos cambiar el temperamento de un niño, pero sí podemos enseñarle buenos hábitos. Para ello hay que hablarle siempre en positivo. Más que decirle lo que hace mal, podemos recompensar las buenas actitudes de modo que se sienta orgulloso de sí mismo y se vea empujado a repetirlas.

Siempre hay que transmitirle la confianza de que es capaz de hacerlo bien. En cambio, al decir: «Si no haces esto o aquello, te castigaré», el mensaje que recibe es que somos pesimistas sobre su conducta. Si el pequeño nota que los padres no confían en él, su autoestima se verá afectada y será más difícil que desarrolle sus capacidades.

En el cuento largo «Una semana horrible», a Juanjo siempre le sale el tiro por la culata porque sus gamberradas no tienen castigo pero sí consecuencias. Al final descubre que es mucho más cansado portarse mal que ser amable y cariñoso con su familia.

15. Niñato
El niño antisocial

En todo patio de escuela hay algunos pequeños que miran, solos, cómo juegan sus compañeros sin lograr integrarse en el grupo. Suele tratarse de un niño sobreprotegido al que los padres no han enseñado debidamente a tener contacto social.

Como todo, a relacionarse con los demás también se aprende. Si de buen principio invitamos a otros niños a casa, o compartimos los fines de semana con otras familias, para nuestros hijos será mucho más fácil en la edad escolar interactuar con sus compañeros.

Cuando, por el contrario, el pequeño crece dentro del estrecho círculo familiar —más aún si es hijo único—, lo más probable es que le cueste compartir sus juguetes con otros niños, o que grite si un compañero le tira de la bata. Estamos hablando del «niño mimado» que provoca el rechazo de su entorno.

Suelen tener problemas a la hora de relacionarse tanto los niños tímidos como los muy agresivos, dos respuestas extremas ante una falta de habilidad para comunicarse e interactuar con sus compañeros. En ambos casos, el problema suele residir en la educación que han recibido de los padres.

Para prevenir este problema, lo primero que deben hacer los padres es no sobreproteger a sus hijos. Al contrario, deben animar al pequeño a imitar modelos de niños muy abiertos y sociables. Pueden ayudarle a relacionarse invitando amigos a casa, o apuntándolo a unas colonias. Cuantos más entornos diferentes conozca, más preparado estará para relacionarse con todo tipo de personas.

En el cuento «Niñato», Julio descubre el valor de la amistad cuando es capaz de compartir con los demás. Es una lección dura al principio, pero luego demuestra ser muy gratificante. Los alumnos de dibujo premian su generosidad regalándole el mural que han pintado entre todos, y el corazón que lleva bajo el brazo simboliza una nueva dimensión emocional que se abre en su vida social.

16. Telerina
El niño adicto a la televisión

Cada vez hay más niños cuya principal actividad en el tiempo libre es ver la televisión o jugar con la videoconsola. Esto es debido, en buena parte, a los propios hábitos de los adultos, que son capaces de consumir tres o cuatro horas diarias frente a la «caja tonta». Por otra parte, muchos padres sientan a sus hijos frente al televisor para no tener que ocuparse de ellos y así poder hacer sus tareas.

En ningún caso el niño debe tener un televisor en la habitación, y este aparato tampoco debería monopolizar los momentos de ocio de la familia en el salón.

Por consiguiente, la clave para que el pequeño no caiga en la teleadicción —que perpetuará de mayor— es la actitud de los propios progenitores. Si ofrecen al niño alternativas dinámicas y creativas, éste desarrollará sus capacidades y no sentirá la necesidad de pasarse horas y horas frente al televisor.

¡Muchos niños se «tragan» todo lo que echan en la tele por puro aburrimiento! Un juego divertido o una propuesta inusual es el mejor remedio para arrancarlos del sillón y estimular su creatividad.

Puesto que nuestra responsabilidad es guiar y educar a nuestros hijos, debemos ejercer un control sobre este hábito. Nunca hay que dejar que sea el niño quien decida cuándo y qué ve por la televisión. Corresponde a los padres dosificar convenientemente el televisor, que bien utilizado puede servir como gratificación —por ejemplo, tras haber hecho los deberes escolares— o incluso como instrumento educativo si se elige, con mesura, una buena programación.

En el cuento «Telerina», la protagonista no es consciente del exceso de televisión hasta que empieza a sufrir pesadillas y se plantea concederse una pausa para volver a ser una niña sana y activa.

17. Chitimogo
El niño adicto a los videojuegos

Los videojuegos —tanto los portátiles como las consolas caseras— están entre los factores que más promueven el consumismo en los niños: cuando sale un nuevo modelo o un juego se pone de moda, todos quieren tenerlo cuanto antes.

Como sucede con la televisión, los videojuegos no son perjudiciales en sí mismos, sino que es su uso indiscriminado lo que puede interferir de manera negativa en la formación del niño. Por ejemplo, estudios recientes han demostrado que la práctica moderada de los videojuegos estimula los reflejos, y pueden utilizarse incluso terapéuticamente en niños con déficit de atención. En el otro extremo, su acción excitante los hace poco recomendables para niños de carácter nervioso.

Es una cuestión de mesura que precisa la supervisión de los padres, ya que este tipo de juegos están diseñados para que el niño se «enganche» con facilidad. Por este motivo, no es aconsejable que nuestros hijos se lleven videojuegos a la escuela, ya que es una gran fuente de distracción.

Los padres pueden, en cambio, utilizar los videojuegos como una gratificación cuando el pequeño haya cenado bien o haya completado alguna tarea que le hayamos encomendado.

En todo caso, la consola de videojuegos debe ser un juego más y no el pilar de su tiempo libre.

En el cuento «Chitimogo», los compañeros de Lucas

caen en la trampa del consumismo por un juguete que, a la hora de la verdad, nadie echa de menos. Esta historia enseña a los niños que los mejores amigos son aquellos en los que late un corazón de verdad.

18. ¡Catacrac!
El niño desordenado

La cuestión del orden —o el desorden— es un hábito que los niños aprenden de los padres, aunque también puede tener un componente hereditario. Hay diferentes opiniones sobre lo que revela un carácter desordenado: existe la creencia de que los genios tienden al desorden, pero esa actitud también puede poner de manifiesto una alteración emocional en el pequeño.

Por lo general, los niños de carácter tranquilo suelen ser más ordenados que los nerviosos, que nunca encuentran el tiempo y la calma para organizar sus cosas.

Sin embargo, tampoco es bueno que los padres sean extremadamente exigentes con el orden cuando eduquen a sus hijos, ya que existe el riesgo de hacer de ellos personas maniáticas que nunca están satisfechas con nada.

Como pauta pedagógica general, si el pequeño es desordenado, no hay que recalcárselo constantemente, sino motivarle en clave positiva y elogiarle cada vez que logre cumplir un pequeño objetivo en este sentido. El orden debería empezar por el escritorio del niño, ya que una mesa despejada invita al estudio y la concentración. Saber dónde tenemos las cosas crea una sensación de «control» muy estimulante a la hora de abordar cualquier tarea.

Al final, el estilo de la familia es lo que suele imponerse, por lo que si los mayores siguen hábitos saludables, es muy probable que el niño también los incorpore a su rutina.

En el cuento «¡Catacrac!», el exceso de juguetes hace

que la princesa Rosaura viva en un mundo de confusión. Cuando logra deshacerse de casi todo, descubre el valor de tener pocas cosas y encuentra cabida para el amor y el perfume de las flores.

19. El hijo de la astronauta
El niño dependiente

Desafortunadamente, hay muchas madres —aunque a veces son los padres— que con sus miedos crean en el hijo un carácter sufridor e inseguro. Se trata de estos progenitores que están constantemente encima de los hijos y les transmiten su propio miedo de que les suceda algo malo.

Si estamos todo el día diciéndoles cosas como: «¿Qué haces?», «¡Cuidado!» o «Te vas a caer», no nos debe extrañar que el pequeño no desarrolle un carácter decidido y emprendedor. Por lo tanto, ¡tal vez primero habría que educar a los padres!

Por el contrario, romper vínculos equivale a ayudarle a crecer. Podemos partir de esta norma: los padres no deben intervenir en todo aquello que el pequeño pueda hacer por sí solo —comer, lavarse, vestirse—, ya que le estaremos privando de un aprendizaje clave para su maduración.

Hay niños a los que, a los siete u ocho años, todavía les visten los padres, cuando justamente las manos de los pequeños son muy hábiles y rápidas para realizar cualquier tarea, como abrocharse los botones o los cordones de los zapatos.

Si queremos que nuestros hijos crezcan seguros e independientes, debemos romper el cordón umbilical —también el psicológico— que les ata a nosotros. Es un proceso lento que debe hacerse progresivamente. Se trata de fomentar en ellos la iniciativa y la responsabilidad.

En el cuento «El hijo de la astronauta», Neno no es consciente de que sabe hacer las cosas por sí mismo, hasta

que encuentra a alguien que lo hace peor que él. Es justamente la oportunidad de mostrar sus habilidades —pues se
siente orgulloso de ellas— lo que le permite «despegarse»
de las faldas de su madre para ser más autosuficiente.

20. El jarrón de aniversario
El niño patoso

Los niños reiteradamente torpes o que muestran pocos reflejos pueden subdividirse en dos grupos: los que sufren alguna dificultad motora —poca coordinación, problemas en la orientación espacial— y los que son simplemente nerviosos o descuidados.

En el primer caso, de origen genético, el pequeño necesita atención especial que incluya una recuperación psicomotriz para superar estas dificultades. En el segundo, se trata de enderezar unos hábitos mal adquiridos. No hay que alarmarlo ni estar todo el día encima riñéndole, sino reforzar aquello que hace bien para que vaya incorporando paulatinamente a su rutina hábitos positivos.

Para reconducir un hábito, los padres pueden recurrir a juegos con pequeñas gratificaciones cada vez que el pequeño logre un avance. Si el problema es grave, los padres pueden eliminar —en lo posible— las barreras arquitectónicas que haya en la casa, de modo que tenga menos obstáculos con los que tropezar. A medida que el niño progrese, podemos ir añadiendo elementos de manera gradual.

Es importante que los padres den —poco a poco— responsabilidades a sus hijos para que aprendan a actuar de manera autónoma.

En el cuento «El jarrón de aniversario», vemos cómo Adela tiene un problema común a todos los niños que son patosos: no sabe prever las consecuencias de sus actos. El consejo que recibe de la directora —el de que preste atención— es el mejor punto de partida para corregir este tipo de comportamiento. No es que la niña no se diera cuenta antes del problema, sino que el cambio se produce por el momento oportuno que elige la directora y el tono positivo de su mensaje.

21. ¡Mío, mío!
El niño egoísta

Todo aprendizaje precisa de un tiempo de asimilación, y aprender a compartir no es una excepción. Es muy común ver en los parques a niños que no quieren que los demás usen sus cosas, mientras ellos sí toman de los otros lo que les apetece. En estos casos, los padres pueden enseñarles a compartir como si se tratara de un juego: «Tú le prestas esto y él te presta aquello.»

El niño egoísta corre el riesgo, a medio plazo, de ser excluido de los grupos en los que trate de integrarse. Este tipo de actitud no se manifiesta sólo en la relación con los objetos o el dinero. El sentimiento de posesión también puede estar presente entre hermanos que luchan por capitalizar la atención de los padres.

Lo primero que hay que inculcarles es que compartir no equivale a perder una parte de lo que es suyo. Al contrario: enseñarles el placer de disfrutar en compañía de aquello que tengan. En el caso de los pequeños que muestran un exceso de celo a la hora de guardar el dinero, esto suele ser imitación de actitudes que han visto en sus propios padres. Por supuesto, el caso opuesto —la tendencia a despilfarrar— tampoco es ninguna virtud.

Otra actitud relacionada con esta problemática es la del niño acaparador, que cuando está en una fiesta quiere apoderarse de más dulces que nadie. Para rectificar estos hábitos hay que trabajarlos día a día en casa, de modo que el pequeño los pueda trasladar a cualquier otro ámbito. Ponerle modelos positivos —niños que sean especialmente generosos— también puede servir para animarles a dar un paso adelante en este sentido.

En el cuento «¡Mío, mío!», Esteban tiene miedo de perder parte de lo que va atesorando en su habitación porque ha desarrollado un sentido de la posesión nada saludable. La aparición del hada de los gatos le hace entender lo poco evolucionada y razonable que ha sido su actitud hasta el momento.

22. La caja azul
El niño mimado

Hay niños que, por una educación demasiado permisiva, quieren conseguirlo todo y cuando se lo niegan, reaccionan con una rabieta. En la escuela, o en los juegos con otros niños, pueden adoptar el papel de víctima, el clásico «acusica» que siempre descarga la culpa en los demás y es incapaz de asumir los propios errores.

Utilizan este tipo de estrategias porque saben que así atraerán la atención de los padres. Por otra parte, el niño mimado exige constantemente: quiere que le compren cosas, que le cuenten un cuento, que le den golosinas. Muchos padres, para no soportar los lloros y pataletas de su hijo, acaban cediendo a sus deseos, con lo que sólo refuerzan este tipo de actitudes. Los niños son muy listos y repetirán aquellas estrategias que les hayan servido para obtener cosas.

Existe la creencia de que todos los hijos únicos están mimados, aunque no tiene por qué ser así. Es cierto que el primer hijo siempre está más consentido que los que siguen —si se da el caso—, ya que al llegar otros, los padres han de repartir su cariño entre todos y ya no capitaliza un solo niño todas las atenciones.

Es muy importante que cortemos este tipo de dinámica desde la infancia, ya que si no lo hacemos, en la adolescencia seguirá exigiendo: una motocicleta, ropa de marca, dinero para salidas nocturnas... Una educación responsable exige poner límites y mantenerlos contra viento y marea, aunque nos parezca más cómodo ceder.

El cuento «La caja azul» es una fábula sobre los peligros que comporta quererlo tener todo a cualquier precio. En su afán por ver cumplidos sus caprichos, el protagonista acaba rodeado por un ejército de arañas. Éstas simbolizan las consecuencias negativas de los pensamientos y acciones egoístas, ya que Mimo acaba prisionero de sus propios deseos.

23. ¿Por qué?
El niño preguntón

La costumbre de interrogar sin fin suele darse en niños de entre tres y cinco años de edad. A los tres años se trata de preguntas muy simples, mientras que a los cinco las pueden ser realmente elaboradas, del tipo: «¿Cómo se sostienen las estrellas en el cielo?» o «¿por qué el fuego del Sol no se apaga?», así como las preguntas relacionadas con la muerte, que muchos padres no saben cómo responder.

El pequeño hace preguntas, en buena parte para atraer la atención de los padres. A veces ni siquiera espera la respuesta: antes de que hayamos contestado ya está haciendo una nueva pregunta. Por otro lado, los niños son investigadores natos. Necesitan tocarlo y saberlo todo, les gusta saber cómo funcionan las cosas y por qué funcionan de esta manera.

En principio, siempre que sea posible debemos darles respuestas, pero con unos límites. Si el niño no se cansa nunca de preguntar, al final hay que interrumpir la «sesión» de manera tajante y decirle que ya continuaremos otro día. No hay que decirle cosas como «calla ya» o «eres un pesado», sino poner un límite al juego de las preguntas y las respuestas, que es saludable si se dosifica convenientemente.

Como norma, cuando el niño entra en una dinámica en la que pregunta por preguntar, sin un objetivo claro, es el momento de suspender el interrogatorio.

En el cuento «¿Por qué?», Diana tiene un deseo natural de intercambio intelectual porque viene de un entorno con pocos estímulos. El ingenio de la protagonista —como sucede con muchos niños— vence la estrategia de su tío abuelo para dejarla fuera de juego.

Este libro se imprimió en
Unigraf, S. L.
Pol. Ind. Arroyomolinos, 1
28938 Móstoles (Madrid)

booket